# アイ・ボディ

【増補改訂版】

## 脳と体にはたらく目の使い方

# EYEBODY

The Art of Integrating
Eye, Brain and Body
by Peter Grunwald

ピーター・グルンワルド［著］

片桐ユズル［訳］

誠信書房

〈免責事項〉

第5章に登場する人物の名前およびその詳細の一部については，守秘義務の観点より変更しているが，私の目的は，彼らの話の骨子を失わないようにするためである。

本書の出版社および著者は，本書が医学的に使用できるという主張はしていない。本書は，いかなる病気をも治療したり，診断したり，助言したり，治癒したりする意図を持っていない。もし，あなたが医学的配慮を必要としているのなら，本書に頼らずに，資格ある医療関係者と相談なさることを強くお薦めする。

法令上で過失と認められても，本書に含まれる情報，助言また内容に関して，正確であること，安全であること，その一切を著者・出版社は，種類の如何を問わず，法的に有効に責任が免除される範囲で受け入れるものとする。

Eyebody® および Eyebody Method® は商標登録されている。

# 謝 辞

　さまざまなかたちで私の人生，仕事，本書の執筆を支えてくださった多くの方々に深く感謝を捧げます。

　私の初期の先生，フランツ・ローマーに感謝します。また，SATAで指導してくれたジェレミー・チャンス，ローズマリー・チャンス，ウィリアム・ブレナーの各先生，そしてジーン・クラークと故マージョリー・バーストー，またアレクサンダー・テクニークの同僚でアレクサンダーの訓練中にお世話になったペネロピ・カーとザヒラ・リカードの諸氏に，とくに感謝いたします。

　自分の視覚再教育について学習していた初期のことに思いをめぐらせると，故ジャネット・グッドリッチ博士とロバート＝マイケル・キャプラン博士への謝意が自然にわいてきます。

　アイボディ・パターンを発見しはじめた初期のころにニュージーランドでお世話になったアーナ・モス，ジュリエット・バトン，ギダ・ロレンス，ルイーズ・ゴールド，ハネッケ・ビーツ，故コリーン・イングリッシュに感謝します。ここにあげたのは，ニュージーランドでお世話になった方々のごく一部にしかすぎません。

　いつもサポートしてくださっている次の方々にも感謝します。マティアス・アードリック，シェリー・ティビッツ，テラ・サリバン，ダグマー・テュルナゲル，マギー・ライオンズ，ゲイレン・クランツ，スザンヌ・スティス，アニャ・ソーンダーズ，片桐ユズル，ガーリンド・ランプレクト，ルーシー・アシャム，ジェレミー・チャンス，ダグマー・テュルナゲル，アイリーンとクリスティアン・サター＝ルカナウ，ジャッタ・シュッテ，デイビッド・ムーア，ケビン・クラーク，ジョン・ラウアー，ボブ・ブラドリー，シルビー・コークマンのみなさんです。レイナー・ヒューブナー，フベルトゥス・ゲルラッハ，ミシャ・ウェルニッツ，そしてマーティン・カーン――あなたがたの友情は私にとってかけがえのないものです。また，ニュージーランドのマナ・リトリート・センターではたらく友人たちにも感謝を捧げます。

　本書の製作にあたっては，ゲイレン・クランツに序文をいただき，エレン・ウェ

ブスターとインゲ・ダイソンには草稿段階で原稿に目を通してもらい貴重な助言をいただきました。また専門家としてイェルディス・ティルシュ博士と検眼士のマーク・グロスマンからも助言をいただきました。ペネロピ・キャロルとタラ・サリバンにはとくに大きな感謝を捧げます。ペネロピは長い時間をかけて本書を編集してくれ，企画段階から制作にいたるまで私をサポートしてくれました。タラも，たくさんの時間をかけて本書の基本的原理と内容を洗練する作業をしてくれました。制作中ずっとこの本のめんどうをみてくれたお二人に感謝します。

　テラ・サリバンはこの本の基本原理を深く理解してくださり，見事な整理と編集をいただきました。そしてこの『アイ・ボディ』新版の改訂にも献身的なかかわりをいただきました。ジャッタ・シュッテは本書のドイツ語版の編集と翻訳について貴重な助言をくださいました。20/20 デザインのアリシア・ダウセット，ケン・マギー，ミシャ・ウェルニッツ，マーティン・ベンフェルはアートと写真を担当してくださいました。ハネッケ・ビーツはアイボディ・マップを色作成してくださり，リマ・ハーバーとカピル・アーンは写真を担当しました。ペレンスコムニカチオンデザイン GmbH は表紙デザインと本の割り付けをしました。オークランドでの写真のモデルをしてくださったアイボディの生徒さんたちに感謝いたします。そしてスティール・ロバーツ・パブリッシングのロジャー・スティールとロジャー・ウィーランに感謝します。

　裏方での理解とサポートがなければ，本書は完成できなかったでしょう。長年にわたりサポートしてくれたイソルデに感謝します。そして私の子どもたち，マックスとマグダレナの探求心と瞳の奥に輝く光に捧げます。また，いつも私を信じ，私が荒れているときにも支えてくれた両親，ケーテ・グルンワルドとギュンター・グルンワルドにも愛と感謝を捧げます。

　そして最後に，何年にもわたって世界中で合宿，講演，個人レッスンを通じて私と経験を共有してくださったみなさんに感謝をいたします。一人ひとりにお礼の言葉を述べることはとうていできませんが，本書によって，元気とひらめきとやる気と奥行き知覚を，みなさんにお届けできることを願ってやみません。

# まえがき（第3版）

「脳と体にはたらく目の使い方——メガネをかけずに自然に生きる」というテーマの妥当性は2004年の初版と2008年の改訂版出版以来，今日に至るまで変わりません。私たちは近視，遠視，乱視，老眼，白内障，緑内障，斜視そのほか数々の視覚の機能不全を抱えて生きています。そして相関的につながりのある背中や腰の痛み，首の不快感，消化不全，日常活動の制限などの身体症状があらわれます。これらの症状やそこから生じる感情的・精神的負担を外して目と脳と身体の機能を改善することがつねに私の意図であり，それについて私は個人的に世界中のひとびとに伝えてきました。

年々のテクノロジーの進化によって多様な手術が可能となっています。これは一見すばらしく思えますが，もっと奥深くに潜む原因を隠しているだけですから，新たに症状があらわれるのは時間の問題です。根本的原理に基づくアイボディ・メソッドは，長年の研究を経てより繊細になってきています。このメソッドをステップにしたがって実践すると機能不全のもとになっている原因をやめやすくできるため，脳・目・身体の自然な全体協調機能をもって意識的に日常生活を楽におこなうことができるようになります。そしてメガネやコンタクトレンズなど，うわべだけの対応は徐々に不要になってゆきます。すでに手術を受けた方は，症状の根本原因の解除に取り組むことができます。そうすると脳と目と身体の全体の協調作用がはたらきますので，自然に機能するようになります。

この改訂版では大切な情報を読みやすくするためレイアウトを新たにし，本書の裏表紙内側のアイボディ・パターン・マップも新しくなりました。168頁の本質的特質は，さらに洗練された特質を取り入れた最新のものです。

現在，私は身体・脳・視覚系内に隠されている古い細胞記憶についての新しい洞察と発見についての本を執筆しています。たとえば，私の幼少時代は恐れと不安でいっぱいになったことが何度もありました。つまり自分自身から一部が切り離されていたといえますが，この部分を，魂の特質と私が呼んでいるものに変容させることで，私たちは自分の脳・目・身体を完全に体現することができます。何世代にもわたる恐れ，不安，悲しみ，放棄，不確実性，分離といった古い細胞

記憶は，信頼と安全，平等性，確実性，密接なかかわり，愛，喜びの意図へ変容することができます。すると私たちは生存反射から見るのではなく，意識的に見ることへと変化する能力を発揮できるようになるのです。

このアイボディ改訂版の編纂にあたり，表紙のデザインとレイアウトを担当してくれたペレンズ・コムニカチオンズデザインのアンドレアス・ペレンズ，印刷とウェブサイトを監修してくれたマティアス・ファンダー，迅速に編集と校正を仕上げてくれたシモーヌ・ザンに感謝します。そして全身全霊でこの最新版の編集に尽力してくれたダグマー・スーエルナグルに特別な感謝を捧げます。

最後になりましたがこの日本での改訂版の出版にあたり，アイボディ・ジャパンのコミュニティのみなさまのお世話に感謝いたします。安納献，石井ゆり子，今松陽子，岡本旬子，関西セミナーハウス，片桐ユズル，喜多理恵子，木野村朱美，京都 YWCA，黒沢文子，小寺美都子，島田真喜子，新海みどり，ジェレミー・チャンス，鈴木重子，角南和宏，角南真由子，滝波日香理，竹内いすゞ，辻野恵子，中井敦子，中澤美穂，中島隆晴，長林伸生，二宮美幸，堀内真奈，松代尚子，松山由里子，マティアス・アードリック，横澤生子，鷲野悟，そのほか数えきれない多くの方々のお世話になりました。ありがとうございます。

2020 年 1 月

ピーター・グルンワルド

（ニュージーランド，オークランド）

# 第 2 版へのまえがき

『アイ・ボディ』初版に書きましたが「この本は現在進行中です。私が新しいつながりを発見し，理解が深まるにしたがって，それらの報告は新版にのせられます」2004 年の初版以来，私は探究と研究を続け，ますます深い洞察と洗練された洞察を得ました。

私の探究は，脳においてはっきりと見えるプロセスについての理解を深めたかったのです。ここから下部視覚野へと導かれました。下部視覚野は首のすぐ上のところにあります。はっきりとした見え方があるということだけを手がかりにしていましたが，わかってきたことは頭のなかで集中が起こるときに，とても努力をするか，あまりしないですむか，という区別でした。努力の程度は，その人の人生の過ごし方の習慣によって左右されるのだということがわかってきました。

依然として意識というものが本質的要素なのでした。意識のなかに，プレゼンス（181 頁参照）の能力があり，これが変化の可能性をつくり出すのです。プレゼンスからは，過去の経験や記憶に対する愛着から自由になる機会が生まれ，動きがとれるようになります。

最後に，この新版に含まれているのは，本来的に魂にあるものとしての特質が列挙されています。たとえば信頼，愛，栄養といった，いささか神秘的ですが，私たちが生きていくのに本質的で不可欠な特質です。こういった特質が，目の液体や構造のエネルギー部分に微妙な影響をあたえ，さらに生命そのものにもはたらきます。

以前の版での読者のみなさまからの建設的フィードバックに感謝いたします。私の同僚のタラ・サリバンといっしょに前版をすっかり読み直し，概念と応用をはっきりさせて，楽に読める本になるようにつとめ，新しく本質的な意味深い内容によって，時間がたつにつれて熟していくようにしました。メガネを外す習慣のはるか彼方で視覚システムの発見の果実を楽しんでください。

2008 年 7 月 14 日

ピーター・グルンワルド（ニュージーランド，オークランド）

# 序 文

　1999 年に私は，ドイツのフライブルクで開かれた国際アレクサンダー会議に，自著『椅子 ―― その文化と体とデザインの再考』（The Chair: Rethinking Culture, Body and Design）を宣伝するために参加しました。会場で私は，一番面白い発表者はピーター・グルンワルドだということを耳にし，立ち見しかできない部屋で聞いている人たちにまぎれて，彼の発表を聞いたのでした。彼は目のことについて話していた（英語とドイツ語を自在におりまぜ，ときには同じ文を両方の言語で話していた！）のですが，私自身の視覚はまずまず良かったのです。彼は〈角膜を長く広げる〉という視覚の課題で，聴衆から協力者を募りました。後に医学に通じている友人が教えてくれたのは，随意筋を使わずに体の構造にはたらきかけることは不可能だということでした。ところが，聴衆のなかのアレクサンダー・テクニークの教師たちの多くと同じように，私もすぐに彼の言うとおりのことができたのです。驚いたことに，私の脊椎骨の二つが，中心線のほうに動いたのでした。

　発表後，聴衆が会場から出て行ってから私はピーターに話しかけ，彼の言うとおりにしたら脊椎が動いてしまったということを説明しました。すると彼は「ええ，それはですね，目のその部分が，体のその部分を支配しているからです」と言いました。明らかに，彼は目と体のことについて，何かを探り当てていたのです。おやおや，と私は思いました。そう思ったのは，もう一つ研究しなければいけないシステムがあらわれてしまったからでした。私としてはもっと情報を聞き出したかったのですが，彼はほかの人たちの相手をするのに忙しそうな様子をしていました。私は心のなかで，機会があれば彼といっしょに仕事がしてみたいと思ったのでした。脊柱側弯症の謎を解くためなら，私はすべての石をひっくりかえしてその下に何があるかを見てみるつもりなのです。

　20 年前にひっくりかえしてみた〈石〉の一つが，19 世紀末にオーストラ

リア人によって開発された姿勢と動作に関するシステム，アレクサンダー・テクニークでした。このアレクサンダー・テクニークのおかげで，医学的に言うところの80度の側弯症という障害をもちながらも，私は元気で過ごすことができるようになりました。1年に1度ずつ側弯が進むという医学的診断が下されていたにもかかわらず，その側弯を実際に減少させることができたのです。このテクニークが有効だったのは，精神や体も含めて自分全体を含める方法だったからです。

　2000年の初めに，ピーターがアメリカにおける初のワークショップをカリフォルニアで開催するということを聞き，私はそれに申し込みました。最初の6日間の基礎訓練を通じて私が知ったことは，ピーターが自分の近視と乱視と吃音をどうにかするための方法を模索するなかで，アレクサンダー・テクニークとベイツ・メソッドのメガネやコンタクトレンズなしで見る方法を統合したということです。彼はこの二つの手法を統合しただけではなく，それ以上の意義深いことをなしとげたのだということを，私は実感しました。彼はこの二つの手法を超え，身心を統合する新たな方法論を創造したのです。

　ピーターとの最初のワークショップは，〈なるほど〉の連続でした。そのなるほどは，彼の目の使い方のなかに私が探していたミッシング・リンクを発見したと確信したとき，最高潮に達しました。そしてついには，想像力と脳を通じることによって，心から体へ，そして体から心へと移動する方法を一歩ずつ具体化できるようになったのです！　ピーターが教えてくれたのは，高精度の脳波測定装置を使わなくても，自分の視覚路を経由させれば穏やかな気持ちになることができ，直接的にものを三次元的に認識できるということでした。それでこの方法のもつ可能性がはっきりとし，この先数年間，自分を心理的・生理的・霊的に成長させるためにたどるべき道がこれであるということを悟ったのでした。

　ピーターのワークショップに参加するまでに，すでに私は心身の相互作用については相当量の知識をもっていました。30年近く学者として，また患者や施術者として調べてきたことは〈ソマティック・プラクティス〉と呼ば

れるもので，最近はよく知られるようになってきました。ソマティック・プラクティスは，体，思考，文化的信念，個人の感情，意思のあいだにある関係を調べるというものです。ボディ・マインド・センタリング（BMC）では〈経験的解剖学〉の重要性が強調されていますが，これは解剖組織上の構造へ知的に入り込むことができるという考え——というよりも，体験——です。行動的視覚療法は視力は変えられることを主張し，実際に私はそれを体験しました。視覚の訓練を通じて，私はちょっとした収束不全を治すことができましたし，水晶体の柔軟性を取り戻したおかげで45歳になっても遠近両用メガネをかけずにすませ，さらには視力を1.0まで回復させることができたのです。

　視覚の訓練とソマティックの問題とのあいだにどのような関係があるのでしょうか。ピーターは視覚に取り組むことから始め，体や文化や感情や意思に入っていきます。彼が主張しているのは，私たちの文化は過度に細部をフォーカス視したり必要以上にはっきり見ようとするようになってしまっているあまり，周辺視野を開いて全体像を見るということをしなくなったということです。かつて私たちが狩猟採集者であったころ，形と動きの全体像をつかむことは，細部を正確にとらえるのと同じくらい大切なことでした。

　三次元的映像は，目ではなく脳のなかで生じるものです。私たちの脳は，この作業を自動的にやってくれていますが，ピーターが教えてくれるように，この過程をわざと意識すると，映像が特別な鮮明さでもって三次元的に立ち上がってきます。ところが，私たちはたいていの場合，二次元的な映像を解釈して遠近をつけています。三次元的に直接知覚してみると，驚きと新鮮さを覚えます。ちょっと時代遅れの言い方をすれば，「畏怖」の念さえ起こるのです。「見ることとは，見ているものの名前を忘れることだ」と，ある詩人が言いました。これは瞑想の目指すものの一つです。つまり，純粋な知覚にいたることです。ピーターのメソッドは，霊性の実践を私たちに提供してくれます。

　最初のワークショップに参加して以来，私はピーターといっしょに仕事をし続けており，ニュージーランドで毎年1月に彼が集中的訓練のために主催

している3週間のワークショップにも参加しています。ときおり友人に，なぜ同じワークショップに何度も何度も参加するのかと聞かれることがあります。いまだに学習し終えていないのでしょうか？　私はこのワークショップを，ミュージック・キャンプのようなものだと思っているのです。ミュージック・キャンプでは，すでに知っている曲であっても演奏したいと思うはずです。練習することによって上達し，演奏に対する自信は深まり，技量もより上がります。ここでは世界規模のネットワークが築かれつつあり，ニュージーランド，オーストラリア，イギリス，ドイツ，スイス，オーストリア，スウェーデン，フランス，アメリカ，南アフリカ，日本の仲間が交流を深めています。この新しい集団の仲間たちは，互いに支え合いながら全体性への道を追求しています。ピーターには天賦の才があり，彼は喜んでそれを仲間と分け合っています。ですから，彼はこの集団の中心的存在でありながらも，集団を中央集権的なものにするのではなく，ネットワーク型組織へと発展させることを推進していることを，私がここで紹介できるのを嬉しく思います。私は，この集団のなかで年をとることを興味深く思っており，また助けになるのではと期待しています。彼のメソッドの，もっとも高度でベストな用い方の一つは，素晴らしく伸びて幅広くゆったりとしている上半身をつくることだけではなく，自分自身を予見できるというものです。そして私自身のことを予見してみると，私は意識的に美しく死ぬことができるということが見えてくるのです。そのとき，この集団の友人たちが，意識的に〈奥行き〉にいながらも，お互いに助け合っている姿が私には想像できるのです。

　ここまで読んでいただければ，このアイボディ・メソッドがどのようなものであるか，読者のみなさんにも正しく推論していただけるでしょう。おそらくみなさんは，このメソッドが視力に直接は関係ないほかの問題についても対応できる手段であるという推論をなさっているはずです。このメソッドにおけるもっとも実用的な道具は，視覚路——目の前部から視覚野まで走っている——が人体のひな型であり，目のさまざまな器官がそれぞれに体の各部に対応しているという考えなのです。もっと強力な道具は，ひとたび意識

的に奥行きを見る方法を学べば，自分の未来をかたちづくることができるという考えかもしれません。これが哲学者が〈創発〉と呼んでいるものであり，未来が過去をかたちづくり，未来について思いをめぐらすことによって現在がかたちづくられるという考えです。

　こういったことが発生するメカニズムについては，現在の科学的理解を超えたところにありますが，科学者たちが主観性と客観性の関係にもっと目を向けるようになっているので，将来もっと理解されるようになるはずです。科学が何を立証するかということに関係なく確かで大切なのは，ピーターが示してくれた，この精神力を使っておこなう実践的技法なのです。瞑想をする人であれば，彼が指導しているのは平穏さ，明晰さ，受容力，美しさ，完璧さを体験するための方法であるということがわかるはずです。このメソッドは，すべての人が用いることができるものです。必ずしもメガネが問題なのではなく，三次元的に見る能力，考える能力，感じる能力を回復し維持することのほうが大切なのです。

　この取り組みは，建築家やデザイナーにとっても重要な意味をもっています。二次元的な映像に遠近をもたせて解釈するのではなく，三次元的に知覚することによって，とくにデザイナーはその恩恵を受けることになります。意識的に奥行き知覚を選ぶことによって，生理的視野，感情，判断力という，建築をデザインするうえで欠かせない創造性が影響を受けるのです。私が意識的視覚野を使って，人類学者のエドワード・ホールが言うところの，一人ひとりを囲む個人的空間の泡を直接に体験できれば，環境デザインを研究している私の同僚もこのメソッドの真価を認めてくれることでしょう。建築家やプランナーがもっと直接的に三次元を体験をすることができれば，荒涼として魂もなく〈最低限〉のところでしかデザインされていない現代建築とは対照的な，輝かしい住環境の擁護者となることができたはずです。私の専門領域について言えば，家具デザイナーやインテリア・デザイナーには，置いてあるときの見た目を重視した二次元的なものに価値をおくのではなく，もっと三次元的な視点で座るということを理解してほしいのです。体にとっての快楽と美を念頭においてデザインをすれば，直角に座ることを強制

している，部屋中にあふれている古典的な椅子やテーブルからくるストレスを軽減することができるでしょう。

　ピーターのメソッドは，身体的・感情的・知的・霊的なレベルにはたらきかけます。私は脊柱側弯を治すためにこのメソッドに取り組むようになったのですが，今では自分の脳のなかに喜びを見出すために続けています。だからと言って，脊柱側弯症が良くなっていないわけではなく，2004年1月の，前回のニュージーランドでのワークショップから帰ってきたとき，ずいぶんと脊椎の曲がり具合が良くなっていると整骨医は言っていました。それ以来私は自分の脊椎をトレーシングペーパーにうつしとっていますが，それは2008年までまっすぐになり続けています。ほかの人たちはそこで，さまざまな目の症状について調べたり，アレクサンダー・テクニークについての考察を新たにしたり，新たな教え方を見出そうとしたり，精神面における習慣一般についての探索をしたりしています。このメソッドの応用法は膨大で，絶えず進化を続けています。本書は完成した業績に関する歴史書ではなく，現在も進行中の仕事に関する最初の報告書であり，みなさんへの招待状なのです。


　2008年7月15日　カリフォルニア州オークランドにて


ゲイレン・クランツ，PhD, STAT, AmSAT
カリフォルニア大学バークレー校，社会建築学教授

# 目 次

# アイ・ボディ【増補改訂版】

脳と体にはたらく目の使い方

## 序　章　目と脳と体の関係に気づく

　私の人生はメガネとともにあり，またそれが重荷でした。目が覚めるやいなやメガネを手にとり，メガネをかけてシャワーを浴びました（自分がほんとうに濡れているかどうか確かめるためだったのでしょうか？）。メガネがないと服が着られず，学校では本を読むにも黒板を見るにもメガネが必要でした。泳いだり，走ったり，スポーツをする際には特別のフレームをかけ，初めてのデートでもメガネは邪魔をしました。私はまったくメガネに頼りきりでした。メガネなしで生きるなんてことは考えられませんでしたし，そんなことを考えたこともありませんでした。

　メガネへの依存と同じように，吃音と弱い呼吸，猫背に腰痛といったことも私につきまとっていました。私はいつも不安感でいっぱいでした。なおそうとすればするほど吃音は悪化しました。私の近視と乱視，吃音と呼吸の問題に相関関係があるとか，悪い姿勢と腰痛と，例の不安感とが関連し合っているとか，まして学習能力の低さや記憶力の悪さとつながりがあるなど，思いもつかないことでした。

　ドイツの兵役義務を逃れるために私は自分の目をさらに悪くしました。6カ月のあいだに2回メガネを変えるほど度が進み，最終的に望みを達することができました。私は目が悪いために兵役免除されました。

　このように自分で視力を悪くできたのだから，もしかしたら自分で視力を良くする方法があるのではないか？　何年かあとに私はそう思い，どうすればいいかあれこれ調べた結果，それが〈可能〉であるということを知りました。ベイツ・メソッド，ライヒ療法，ブレイン・ジム活動のそれぞれの原理を組み合わせた方法を私に教えてくださった故ジャネット・グッドリッチ博士（Dr. Janet Goodrich, 1942-1999）には感謝するばかりです。彼女との訓

練によって，私はたった18カ月でメガネの処方箋から解放されました。そしてその訓練を通じ，近視と腰痛，乱視と吃音との関連に気づきました。

　メガネから解放されたということだけで非常に大きな解放感に浸ることができましたが，それは始まりにすぎませんでした。1992年のある日，私は自分の角膜を体の一部として意識できるようになり，角膜に感覚があることも意識できるようになったのです。自分自身で角膜を緊張させたり弛緩させたりすることができるようになり，角膜の緊張・弛緩に胸部が反応していることにも気づきました。角膜を緊張させると胸は緊張しへこみます。そして角膜を弛緩させることを思うと，上半身がまっすぐに長くなりはじめ，著しく呼吸しやすくなったのです。角膜を〈意識できている〉かぎり，私は何度もこの緊張・弛緩を確実に繰り返すことができました。しかしこの体験が何を意味するのかが理解できたのは，何年も経って後のことでした。

　その何年かのあいだに私は，視覚システムに人体の縮図があるということに気づいたのです。私はこれを「アイボディ・パターン」と名づけました。目そのものは，脳の対応するそれぞれの組織とつながっています。また視覚システムは，目とその周りの神経構造を含み，人間の自律神経組織（爬虫類の脳）や感情（大脳辺縁系），考えや理性（新皮質）をつかさどる部分ともつながっているのです。

　見るということは，単にものごとが目に入るということではありません。実際は目で見ているのではなく，見るということは脳で起きているのです。目は単に脳が光を受け取るための器官にしかすぎないのです。

　近視，遠視，乱視，老眼（新聞を読むのに腕の長さが足りなくなること），緑内障，白内障，斜視などすべての視覚障害のもとをたどると，目，体，脳にそれぞれ対応する不具合があることがわかります。

　長年にわたる，何千人もの人びととのワークショップや小グループ・個人セッションの経験を通じて，この不具合の相互関連パターンの信頼性が確認され，そのおかげでみなさん方の視覚システム全体を統合するお手伝いができるようになりました。

　意識的に視覚システムの諸要素をつなげることによって，目，体，脳のは

たらきは統合されていきます。このように視覚システムを強化すると，徐々に目の身体的構造が変化するばかりでなく，私たちの感情的，知的，霊的な側面をも統合します。このように視覚システムの協調性が増すと，メガネやコンタクトレンズの出番は減り，メガネが過去のものとなるのです。

　さて，みなさんを発見の旅にお連れする前に，お互いに確認しておくべきことがあります。まず，人間が最高に潜在能力を発揮できるのは，自分自身の本来の機能に干渉しないときであるというのが，私たちの立脚点であるということです。私たちには，自然に能力を発揮できる仕組みが生まれつき備わっているのです。

　ここで私が使った「自然」が何を意味するのかというと，〈自然と一致した〉とか〈自然の意図〉といった意味であって，習慣に従うことを言っているのではありません。多くの人は，有益か有益でないのかをかえりみることなく習慣に従っています。一見，習慣は〈自然〉なものであるように感じますが，実際はそうではないのです。非生産的な習慣を変えるためには，自分が何をしており，どこを目指しているのかといったことについての気づきと理解が必要です。こういった見通しをもつということは，いかにして私たちがより効率的，効果的，全体的に機能できるかを理解することなのです。

　私たちの脳には，習慣的なパターン以上のものを考える能力があります。いわゆる〈考え〉は新皮質の前部で起きており，私はこれを〈二次元的思考〉と呼んでいます。しかし，それとは別にもう一つ，新皮質の後部（私が上部視覚野と呼ぶところ）へ向かって起きる〈考え〉があります。私はこの部分が意識的考え，三次元的考えと関係していると考えています。脳のこの部分を使っての考えを活性化させると，私は習慣にとらわれずに考えることができるのです。みなさんがよくご存じのように，習慣を変えるのは簡単なことではありません。それには責任をともないます。しかし私たちは脳の異なった使い方を学習することができるのです。

　私が何を言おうとしているのか，とくに責任をとるという言葉がどういう意味なのかということを，あなたが新しいパートナーを得たという前提で考えてみましょう。新しいパートナーとの最初の時期は蜜月ですので，パート

ナーの失敗や非難も大目に見ることができるものです。それがやがて，ちょっとしたことが気になりはじめます。こういったパートナーとの浮き沈みを乗り越える際に責任というものが必要になります。フランスでのワークショップで，ある参加者がこれについて「自分がやると言ってから時間が経って，そう言ったときの気分が失せた後でもやり続けること，それが責任というものです」と，うまく表現してくれました。気持ちは変わりやすいものですが，責任というものはものごとが進むのにともなって大きく育つものなのです。

　フレデリック・マサイアス・アレクサンダー（Frederick Matthias Alexander, 1869-1955）は人類にとって多大なる貢献をした人物ですが，彼の考えは私自身の方法論および個人的成長にとって絶対不可欠なものでした。私の最初のころの職業的訓練は，アレクサンダー・テクニークの教師になるための訓練でした。俳優であったアレクサンダーは，観察することと精神の方向づけをおこなうことによって自身の発声の問題を解決しました。彼はまた，このテクニークを姿勢や集中力の改善にも応用しました。アレクサンダー・テクニークの訓練を通じて，私は自分自身の思考や行動の習慣を，ものを見ることとの関連において観察するようになったのです。

　私はまた，ニューヨークの眼科医で視力の自然回復法の先駆者であるウィリアム・H・ベイツ（William H. Bates, 1860-1931）にも感謝します。メガネの必要性，視覚障害そのものに対する彼の問題提起は，今日に続く論争を引き起こしました。

　また私はある意味で，作家のオルダス・ハクスリー（Aldous Huxley, 1894-1963）によって始められた旅の途上にあるともいえます。さまざまな方法で真理を探し続けていたハクスリーは，アレクサンダーとベイツ・メソッド両方のレッスンを受けた人でもあります。彼による洗練された博覧の書『ものの見方』（The Art of Seeing）においてハクスリーは，アレクサンダーの原理とベイツの実践的方法論と教義体系を統合しましたが，このようないかにも自然に見える考えが半世紀を経た現在においても，いまだに非正統の考えとされているとは驚くほかはないのです。

私の発見は，長年にわたる私の個人的な経験，解剖学的・生理学的体験によって判明したものです。私は神経学者でも神経科学者でもありませんし，ましてや医学的な訓練を受けてもいません。何年かのうちに，これらの発見の正当性を立証するような科学的研究がなされることを望んでやみません。しかしまずは私が学んできたもの，そしてその背景も文化も国も異なる何千人もの人びととの訓練を通じて学んできたことをさらに探究してみましょう。

　本書を執筆する気にさせてくれたのは，私のやっていることをもっと読みたいと言ってくれた数多くの生徒や受講者のみなさん，そしてこの手法に触れたことはないものの興味をもっていると言ってくださっているたくさんの方々です。

　本書は，アイボディ・メソッドに興味をおもちの読者の方，そしてすでにアイボディ・メソッドに取り組んでおられる方のための見取図といったものです。これはまた視覚，視力改善，心身相関の分野に取り組んでおられる諸氏に，洞察における手助けとなるかとも思います。本書で取り上げる手法は，まだ発展途上にあります。

# 第1章　ある物語——もうメガネはいらない

　私がどのようにしてメガネをかけなくてもよいようになり，自然な仕方でものを見るようになったか，そして目と脳と体のつながりを理解するにいたったかについてお話ししましょう。

　私は1950年代後半にドイツに生まれました。私が3歳のとき，しょっちゅう転んでばかりいる私のことを母が気にし，私を眼科医に連れていきました。目が悪いのは家系で，父母ともに近視で乱視，私はそんな両親のあいだに生まれたのです。それで私は，3歳で人生最初のメガネ——小さな子ども用のメガネをかけたのでした。メガネの後ろで縮こまっていただけではなく，私はひどい吃音でした。話すことを学習するのに明らかにほかの子どもより時間がかかり，ようやく出てきた言葉は支離滅裂でした。私が成長するにつれメガネのレンズの度はきつく，分厚くなりました。1年のあいだに二度もメガネの処方を変えなくてはならなかったこともありました。どんなに私が診察を受けるのを恐れたことか——お化けのような器械の前に座り，冷たい目薬を差すと何もかもがぼやけてしまい……自分がとても無力に思え，何ものかに侵入されているように感じたのです。「線がさっきよりもよく見えるようになった？」と，レンズを交換するたびに眼科医は聞いてきました。そう聞かれるたびに私は，ただもう早く診察を終わらせたいがために「はい！　よく見えるようになりました！」とすぐに答えたものでした。

　今ここで，吃音でメガネのフレームに閉じこめられていた10代のころの私を想像してください。姿勢は前屈みになり，腰を丸め，肩を狭めていました。そのころの私は，誰もが当たり前にやっているようにはっきりと見たり，話したりできなかったのですが，そんな自分でも生きていける方法を身につけなければなりませんでした。あなたの身近に吃音の人はいらっしゃい

ますか？　吃音の問題は，聞き手が吃音の話し手より先に何を言おうとしているかを察してしまうことなのです。だから私は友だち付き合いも苦手にしていました。私が付き合える友だちはすべて，私が話しきるのを待つだけの忍耐力を備えた人に限られました。そして，そうでない人はみんな避けるようにしていました。

## 自分で視力を悪くできるのだから，良くすることもできるはず

　当時のドイツでは男性に兵役義務がありました。18歳（入隊する年齢）になろうとしていた私は，絶対平和主義者でもあったのでなんとしても入隊したくありませんでした。そのかわりに社会奉仕による兵役免除を望みました。そのためには委員会に対して私の信条を説明しなくてはなりませんでしたが，吃音の私がそのような状況で説得力をもつことはできそうにありませんでした。にもかかわらず，私は免除の手続きをとることにしました。

　私の兄は，もし自分の視力がもう少し悪ければ兵役を逃れることができたのにと私に話したことがありました。私は，ひょっとしたらこの手で兵役を逃れられるかもしれないと思い，眼科医へ行ってみたのです……ところが眼科医には，私の視力でも入隊には差し支えがないと言われてしまいました。誕生日が近づくにつれ，私はますます意気消沈し体がへたりこんでしまいました。私は入隊するかわりに社会奉仕をしたいという嘆願書を書き，それと同時にわざと自分の視力を悪化させはじめたのです。そしてそれは半年足らずで成功し，私の視力は悪化を重ね，二度も新たに処方を受けなければなりませんでした。

　そしてとうとう恐れていたその日が，入隊に向けた身体検査の日がやってきました。私は緊張し，もじもじしながら同世代の連中に混ざって順番を待ちました。最初の検査は視力検査でした。検査を終えると検眼士は「お気の毒ですが，こんなひどい視力では入隊は無理です」と言いました。まるで宝くじに当たったような気分でした。それまでの数カ月間，へたりこみ情けなく感じていたのが一瞬にして吹き飛んでしまったのです。この視力では兵役

につくことができない，といったことが書かれた文書を私はもらいました。そこで兵役のかわりの社会奉仕義務のことについてたずねてみると，入隊の検査も通らないんだから社会奉仕の検査も通らないだろうということを言われました。その帰り道，自分で視力を悪くできるのだから，良くすることもできるんじゃないか，ということが突然頭をよぎったのです。若者というのはそういうものなのです。自分の視力を改善しようと考えるようになったのはそれから何年か後のことでした。

　正規の学校教育を終えた私は，ヨーロッパ，中東，北アフリカ，そしてインドをめぐる旅に出ました。インドを訪れたことがある方なら，インドでは生活様式から何から何までが西洋と異なっているということをご存じでしょう。インド人の精神性，とくに日々欠かさず敬虔に礼拝をする姿は，私のような若いドイツ人旅行者を驚嘆させました。インドに滞在して数カ月経ったころ，インドを訪れる旅行者はたいがいそうなるのですが，私は病気になってしまいました。胃が上を向いているのか下を向いているのかわからないような状態になり，腸と肝臓も機嫌を損ねてしまったのです。つまり肝炎にかかった私は海岸にある小屋で静養し，回復するのに数カ月を要しました。その間，私が口にしたのは湯冷ましと少量の米と新鮮な果物だけでした。静養中，私の神経系は著しく沈静化しました。それはまるで，長年にわたる狂ったかのような西洋式生活の鬱積が解き放たれていくような感じがありました。そうして私は元気になり，活力を取り戻し，旅を続けられるようになったのです。

## 「見える」体験の素晴らしさ

　インドでの旅の途中，路線バスに乗り込み空いていた最後の一席に腰かけたとき，とても不思議なことが起こりました。頭蓋骨の後ろ側と脳の中心部からものごとが見えるようになり，周囲のものがくっきりと立体感をもち色彩もあざやかに見えるようになったのです。人びとの内側が見え，はっきりとその人の本質を認識していると感じました。頭脳の素晴らしい明晰さを経

験しました。私はこの三次元の世界に完全につながり，溶け込んでいました。この体験は，やめようとしても，やめることができないものでした。私は平和で静かな気分で，しかもとても元気で，その場に存在していました。その日は一日中，そんな状態が続きました。

　翌日の朝になっても，この見え方と自分の存在の感じ方は，前日と変わらぬ新鮮さを保ちながら続きました。それが何であったにせよ，それはその後何カ月も続き，私は始終その感覚を楽しんでいました。私は毎朝，このはっきりとした見え方，考え，注意力とともに目覚め，自分自身や自分の周辺環境への意識はどんどんと高まっていきました。そこには恐怖や不安，苦悶，散漫になることもなく，また自分自身や他人を評価しようという意識もわいてきませんでした。この体験のあいだ，私には恐れというものがなく，しかし他者へは愛情と親切心をもって良く接することができたのです。私は自身の存在を完全に感じられ，また自分自身とその周囲に満ち足りていました。これは薬物ぬきの，完全な変性意識体験だったのです。私はつねにスロー・モーションのなかの人であり，かつ巨大な絵の全体と細部とを同時に見ているような状態にありました。そのときの私はまだ吃音であり，猫背でメガネもかけなければいけませんでしたが，私の気づきがこれらの欠点を克服していたのでした。ある朝目覚めたときに，いつか私はメガネなしで見えるようになることを知りました。それは深淵からわいてくる，いつか私は見れるようになるという意識でした。

　私はアジアの旅を続けましたが，そのあいだずっと研ぎ澄まされた気づきと恐れのない平和な気持ちでものごとを見ていました。ところがある日，始まったときと同じように唐突にこの状態が終わってしまいました。そのとき私は，丘の上で目を閉じ，周りの音に注意を向けながら休んでいました。数分後に目を開けたとき，何もかもが変わってしまったのです。直前まで感じていた活力とすべてがうまく結合している感覚が失せてしまっていたのです。まばたき一つですべてが消え去ったのです。どうして？　なぜ？　そういった感情があふれてきました。怒りを感じ，裏切られたような気分になりました。古い恐れと不安がすべて舞い戻ってきたのです。私は泣きました。

何カ月にもわたる悲しみが続きました。〈高く登ったぶんだけ落ちたときの落差は大きくなる〉ということわざがほんとうにわかりました。そのときの私には，この7カ月間の体験が私の全人生にどのような影響をあたえるのか，知る余地もありませんでした。後に私は意識的にこのように見ることができるようになる勉強をすることとなり，その技術を人に教えるようになったのでしたが。

やがて私はニュージーランドにたどりついたのですが，そのときには旅に出てから3年もの年月が経っていました。旅に疲れた私は，ここにとどまることにしました。

## 猫背から脱出し，アレクサンダー・テクニークの
## 教師の道へ入る

ニュージーランド滞在中に立ち寄ったヒーリング・フェスティバルの会場で，あるカップルが私の目をひきました。彼らの歩き方には，私がもっていない何かがありました——優雅で軽やかで，揚力を感じさせる歩き方を彼らはしていたのです。私はどもりながら彼らに，あなたがたの歩き方は素晴らしいですねと話しかけました。驚いたことに，そう話しかけたとたん，彼らは私の吃音についてすぐさま指摘してきました。無礼と思われるのを嫌うからか，人というのは他人に忠告したがらないものですし，私自身も長年にわたり自分の吃音について考えないようにしていました。しかし彼らは，F・M・アレクサンダーの『自分の使い方』（The Use of the Self）という本を読めば，吃音を良くする手がかりになるだけでなく，歩き方や全般的な協調作用も良くなりますよ，と教えてくれました。私は図書館へ行き，その本を借りました。当時の私の英語力が稚拙だったこともあり，書かれてあることがほとんど理解できませんでした。しかし，吃音について書かれた章，アレクサンダーがある人物の吃音を克服させ，全般的な健康状態も促進させたという部分には大いにひきつけられました。私はもっと知りたくなりました。

数カ月後，私はオーストラリアのシドニーで，アレクサンダー・テクニー

クの週末ワークショップに参加していました。私は夢中でした。ワークショップが終わるころには，座ったり立ったり歩いたりするのがずっと楽になり，背中の痛みもずっと減っていました。アレクサンダーの原理が，かつてインドで経験し，それ以来ずっと追い求めていたものごとの見え方や存在の仕方へ，私を連れ戻してくれるのではないかという期待に胸がときめきました。インドでの体験は偶然でしたが，一歩また一歩とそこへ近づいていく方法を見つけられるのではないかと私は感じていました。

　さらにそれから数週間後に私は，アレクサンダー・テクニークの教師になるための３年間におよぶ訓練を受けはじめました。アレクサンダー・テクニークの取材のために２カ月間訓練に参加していたジャーナリストが，インタビューで，なぜこの訓練に参加しているのかと私にたずねてきました。私は彼女に，生まれつきの私の吃音がこのテクニークによって克服できればと思い参加していると答えました。数日後，彼女が書いた記事が『シドニー・モーニング・ヘラルド』に掲載されました。そこで彼女は私のことに触れ，インタビュー中の私がほとんどどもらずに話していたため，アレクサンダー・テクニークはすでに私の問題を解決しているという結論を出していました。この記事を読んで，私は知らないうちに自分の話し方が改善されていたのだということに気づき，そう気づいたことでさらに人とのコミュニケーションが楽になったのでした。どもるという衝動はまだありましたが，それも次第に出ることが少なくなり，やがては吃音に陥るパターンもだんだんと消えていきました。

　この訓練期間中，私の発想の源になったのが，アメリカ人アレクサンダー・テクニーク教師で，毎年オーストラリアを１カ月訪れるようにしていたマージョリー・バーストー（Marjory Barstow, 1899-1997）でした。当時の彼女は80代後半でしたが，とても元気でした。彼女はアレクサンダーの原理を深く理解しており，これを明快に伝える優れた技術の持ち主であり，彼女の優れた伝達技術の一部は今日でも私のなかに根付いています。

　シドニーでの３年間の訓練を終えた私はそこにとどまり，ウィリアム・ブレナーとローズマリー・チャンスらとともに活動を続けました。そしてグ

ループでの活動と大人数の前に立って何かをするということについて多くを学んだのでした。この時期は，私の話術の進歩においてもっとも重要な時期だといえるでしょう。

## ぼやけた自分の目でぼやけた世界を見てみる

　1989年のある日，私はコンタクトレンズを入手することにしました。コンタクトレンズにすれば，誰も私が視力が悪いということに気づかなくなるだろう思い，処方してもらったのでした。コンタクトレンズの出来上がりを待っているうちに，話し方や姿勢を良くできたのと同じように，視力も改善できるのではという自問が自分のなかに起きてきました。するとインドでの体験——いつか私はメガネなしでも見れるようになる，というあのときの確信があふれるようによみがえってきたのでした。そしてもう一度それを確信したのです。

　その週末，私はジャネット・グッドリッチ博士が指導する，「視力自然回復」の基本コースに出席しました。そのとき私は，疑いでいっぱいでした。重度の近視と乱視を改善することなんてできるのだろうか？　私の右目の視力はもっとも度の強いレンズを使用しても0.4しかなく，左目は右目よりはほんの少しだけましだという程度の視力しかありませんでした。はたして，メガネの度数を弱められるのか——ひょっとしたら度数を弱めるだけでなく，メガネなしで見られるようになるのでは……。訓練がおこなわれる部屋はさまざまな視覚の問題を抱えた人でいっぱいでした。子どものころから近視だった人，40代になって老眼鏡が必要になった人，斜視の人や若いころに受けた目の手術の後遺症を抱えた人，視力矯正の手術を考えている人，そして乱視や緑内障，白内障，網膜色素変性症の人などがそこにいました。大きな部屋に，あらゆる視覚機能不全の人びとが一堂に会していたのです。

　コースが始まって数分すると，ジャネットは私たちにメガネを外すように言い，私たちがそうすると「ぼやけた世界へようこそ」と彼女は言いました。まったく彼女の言うとおりでした。私は自分の顔から10センチのとこ

ろまでしか見えませんでした。そこから先はまったくのもやもやでした。色も形も識別できず、明暗だけしかわからないのです。まるで部屋にひとりぽっちでいるような感じがし、すべてのものや人から完全に隔離されてしまったように感じましたが、ここから何か学ぶべきことがあるはずだ、以前に感じたあのメガネなしで見られるようになるぞという感覚につながっている何かがあるはずだとも強く感じていました。この週末は多くの発見がありましたが、そのうちの一つは——私自身の目の存在を初めて経験したということでした。それまでは、メガネの後ろに目があるなんてことを考えたこともなかったのですから。この週末ワークショップ初回は、まさに私を〈開眼〉させてくれるものでした。

## 初めてメガネなしで過ごした一日

　ワークショップ明けの月曜日、私は穏やかな気分で電車の座席に座っていました。列車はシドニー・ハーバー・ブリッジを渡りアレクサンダーの教室があるミルソンズ・ポイントに向かっていました。ところがそのとき、ぎょっとすることに気づいたのです。私は茫然とし、うろたえてしまいました。なんと、メガネを忘れてきてしまった！　生まれて初めて、メガネを忘れてきてしまったのです。私はメガネをかけずにベッドから出たのにちがいありません。メガネをかけずにシャワーを浴び、メガネをかけずに朝食をすませ、メガネなしで駅まで歩き、メガネなしで行き先をまちがえず電車に乗り、さらにはラッシュ・アワーの車内で空席を見つけていたのです。それもメガネをかけているかどうかということや、視界がぼやけているかどうかということを考えもしないでやっていたのです。そう思ったとたん、視界がぼやけていることに私は気づいてしまったのでした。メガネを取りに帰らなければ、と思いました。しかし気を落ち着け、メガネなしで見られるようになるという自分の決意を思い出した私は、その日一日をメガネなしで過ごしてみようと心に決めたのでした。車中での40分間、私は忙しく〈パーミング〉（141-142頁参照）と〈目のひなたぼっこ〉（143-144頁参照）という二つの

習いたての手法を繰り返しおこないました。しかし激しい不安と恐怖がずっとつきまとっていました。メガネなしでいるのは，まるで裸で無防備なままでいるようでした。

シドニー・ハーバー・ブリッジを電車で渡ったことがある方なら，あの橋を渡るときのガタガタという線路の音をご存じでしょう。あのガタガタ音がしたら，それが次の駅で降りる合図でした。私はすごい勢いで車内を通りぬけ，ぼやけた視界のままドアが開くのを待ちました。次にはホームへ降りる段差をなんとかしなければいけません。あんなに慎重に階段を下りたことはありませんでした。一段一段が新たな体験でした。駅を出た私は立ち並ぶ店の壁づたいに進み，そうして花屋にたどりつき，そこでようやく自分の位置を確認したのです。次いでここから30メートル先にある横断歩道までの道をこなさなければ，交通量の多い通りの向こうにある教室にはたどりつけません。やっと横断歩道にたどりつきましたが，見えるものとしては周りを通りすぎる暗い影しかありません。これは危険だ，ちょっと待って誰かといっしょに歩道を渡らないといけない，と思ったのでした。そのとき，隣に誰かが立っているのに気づいたのですが，気づいたときにはその人はもう渡って行ってしまっていました。私は次に隣に来る人に注意を向けました。そうやって気構えていたおかげで，今回は安全に歩道を渡ることに成功しました。教室まで普段なら5分の道のりなのに20分もかかってしまったけれど，とにかく私はたどりついたのでした。

その日の後になって教室の仲間の女性が，私のことを横断歩道で見かけたけれど挙動不審でしたね，あれは何をしていたの？　と聞いてきました。私はその顛末を説明し，メガネなしで見ることにしたと話しました。その日の教室で，私がメガネをかけていないということに気づいた生徒はほんの数人にすぎませんでした。何人かは，私がメガネ焼けをしており目の縁が青白くなっていることに気づいていました。

同じ日のことですが，電話がかかってきたときに，はっきりと聞き取れないことに気がつきました。視覚と聴覚とのあいだにどんな関係があるのだろうかと，私は疑問をもちました。

その日1日はとてもくたびれましたが，それと同時に嬉しくもありました。新しい体験に満ち，それまでと違った角度でものごとが見られた1日でした。メガネをかけないで過ごすぞという決意がさらに強いものになったのです。何気ない日常をまた新たに見直すことはとても楽しいことでした。これこそが覚醒しており，かつ創造的であるということなのです。

## メガネ離れをするためのメガネ

私がメガネ離れをする18カ月前，私は再び検眼士のもとを訪れました。そこでコンタクトレンズではなくメガネ——グッドリッチ博士が〈移行用メガネ〉と名づけたメガネ——を作ってもらいました。この移行用メガネとは度数（ジオプター）は低めに設定されていて，運転に際しても法的に問題ない度数は保持されており，網膜と中心窩の自由度を高めることにより視力の改善を促進するというものです。コンタクトレンズの問題点は，いったん目に装着してしまうとその日一日中——あるいは数日にわたって装着したままになってしまうということです。メガネには少なくとも，いつでも外せるという利点があります。私はこの移行用メガネという考え方の〈売り込み〉を検眼士にしなければなりませんでした。私が前にかけていたものより2・25ジオプター低いメガネをかけて店を出るとき，検眼士は「はっきりとものを見たくないなんて人は，店を開いて以来あなたが初めてですよ」と言ったのでした。

このメガネをかけはじめた当初は，確かに視界がぼやけてしまっていました。ところが1週間経ったとき，このメガネでこんなにはっきりと見えるようになるのかと驚いたのでした。たったの1週間で私の目と視力は飛躍的に良くなったのです。

次に私はドラッグストアでメガネを首からさげる鎖を購入しました。これは頻繁にメガネを取り外して目を休めるようにし，レンズの中心点を通してものごとを凝視するのが常態化するのを避け，生来の視覚が活性化する機会を増やすための道具です。こうして私は徐々にメガネなしでいることが快適

と感じるようになったのでした。ただしはっきりと見たいときには，メガネをかけてもいいということにしました。まずはメガネをかけっぱなしにする癖をなくすため，なるべく外すように気をつけなければいけませんでした。こうすることによって，いつメガネをかける必要があり，いつかけなくてもいいか，そしていつ自分がかけたいと思うのかということに気づくことができたのでした。私にはそういった複数の選択肢があるということを気づかせてくれたのです。

　メガネ離れしていく過程で，私は目の内的訓練のためにピンホール・メガネをよく使いました。ピンホール・メガネとは，いくつもの小さな穴が空けられた真っ黒なプラスチックの〈レンズ〉がつけられたメガネです。このメガネをかけると，テレビや映画を観たり，読み書きするときにもはっきりと見れるようになり，それと同時に目の内部のトレーニングにもなりました。

　メガネをかけずに出歩くのは楽しいものでした。知り合いかなと思う人を見かけたら，まずそれが誰なのか推論し，予想をたててみるようにし，それからメガネをかけて確認するようにしました。数週間後には予想が当たる確率は高くなりましたが，その予想が確実かどうかを確認するためにはメガネをかけなければいけないと感じていました。そこで気づいたのが，自分の視力に対する信頼が視力そのものと実に密接に関連しているということでした。そろそろ裸眼で見えているものを疑うことをやめて，メガネを完全にやめる時期を迎えたようでした。

　メガネ離れを続けていると，ものごとに対する身体的，精神的な見え方も良くなってきました。それはドイツにおいてグッドリッチ博士のもとで，2カ月間の専門的な視覚回復のための集中訓練を受けたおかげもありました。この訓練中に私は，レンズの度数を下げるために検眼士のもとをたずねました。そこで測定器の数値と私が検査表で実際に見えた結果とが異なったため，検眼士は自分が目にしていることが信じられないと何度も口にしました。こんなことはあり得ない……彼女がそう繰り返しながらこの結果を受け入れはじめたころには昼食時を迎えていました。ドイツの田舎ではお店も正午から午後2時半まで昼休みをとる習慣になっており，私は検査を終えるた

めに昼食後に戻ってくることにしました。そうしてお店に戻ってきたとき，私は眠くなり少し前屈みの姿勢になっていました。私は午前中には読めていた検査表を読めなくなっており，それがまた検眼士を悩ませたのでした。

　結局，私は新しい処方をもらえないまま店を出ました。視覚というものがさまざまな刺激に反応し変動・変化するものであるということを思い知らされた体験です。私はこの出来事から，これらの変動を察知し，変化に気づき，どんな状況においても原理によって対応するということを学んだのでした。これらの一つひとつに取り組むことが，成功への階段を上ることなのです。

　視覚改善の専門的訓練を受けたあと，私はニュージーランドへ戻りました。友人たちがコロマンデル半島に大人を対象にしたマナ・リトリート・センターという素晴らしい施設を建設してる最中で，私たちは定期的にそこでバレーボールをして遊んでいました。バレーボールをしているとき，メガネをかけていなかった私は1メートル先しか見えておらず，まったくのお荷物でした。それを見て親切に「メガネをかけたら？」とか，私の視力改善プロセスの役に立たないようなことを言ってくれる友人もいました。しかし私はほかの人が，私はこうすべきであると思ってしかけてくる罠を避けなければいけませんでした。健全なかたちで周囲に対して壁をつくるというのは重要なことで，周囲がかけてくれる言葉が私の当初のもくろみをくじいて，〈僕はだめなんじゃないか〉とか〈僕にはできないかも〉という気分に陥らずにすみました。

　素晴らしい目的を捨て，古い習慣に従うというのは容易です。人を無力にさせる恐怖や不安も容易に忍び寄ってきます。視力改善プロセスにおいて，私は忘れずに自らを奮い立たせ，プロセスに打ち込むことによって恐怖を勇気に変換する術を覚えていったのです。そうして日々，一歩一歩，成功をおさめていきました。急速に，滞ることなく私の視力とバレーボールの腕前は進歩し，友人たちから口出しされなくなりました。そして，やる気が出てきました。

# メガネとの別れ

　それから数カ月後，私は次なる大跳躍をなしとげました。私は首にかけていた移行用メガネと鎖を外してケースに入れ，それをポケットにしまったのです。これでメガネはすぐに取り出せなくなりました。少なくとも5秒はかけて，ケースを探し出して取り出し，鼻にのせなくてはなりません。5秒という時間は短気で近視の人にとってはあまりにも長い時間であり，私がメガネなしで対象にフォーカスし，それが見えてくるのに要する時間でもあるのです。ここで練習したのはメガネに見てもらうことではなく，私自身が立ち止まって見るということでした。そして，そうすることがだんだんと楽になってきたのでした。

　ある日，ついにスーパーマーケットで自分をテストしてみたのです。私はメガネなしで食料品を買おうとしたのです。ご存じのように，スーパーマーケットでは自分の買い物と関係のない何千もの商品が陳列されているのです。自動車でスーパーにやってきた私は，メガネをケースに入れ自動車に置きっぱなしにして入店しました。必要なものを手に入れるためには創造的にものごとを進めないといけないのです。頭のなかで私はバター，パン，牛乳を思い浮かべはじめました。それから視覚を積極的に活用して，たやすく品々を見つけ出し，カートに入れてレジへ向かい，代金を払って店を出ました。それ以来，私はメガネなしで買い物することに自信をもつようになったのでした。

　メガネ離れの最中，私は毎日，ときに1日数回にもわたって自らの決意を新たにしたのでした。私はメガネなしでいろいろなことを楽しめるようになったのです。それにしても27年間も完全にメガネに頼りきっていた日々と，この18カ月とをどうやって結びつけたらいいのでしょう。

　1991年には，私はメガネを完全に手放しました。メガネを手放した当初は視力と見え方が変動しましたが，目，脳，体の機能が関連していることを発見し，それらにはたらきかけるようになってからは安定するようになりました。10年以上もこの発見の旅は続いています。

# 視覚の機能

これからあなたの頭のなかへのちょっとした旅，正確にはあなたの目と，そして脳の一部への旅にお連れしましょう。私たちの目，脳の一部がどのようにしてものを見ているのかということについて概観しておけば，これから取り組もうとしているシステム——私たちがいつも使っているシステムのことです——を理解し，認識することができるでしょう。また，本書で使われている用語を理解するのにも役立つでしょうし，従来の医学モデルにおいて視覚のはたらきがどのようにとらえられているかということも概観していただけるでしょう。

この章の部分によっては今すぐにわからなかったり，難解だったりするでしょう。ひっかかったり，つっかえたりする部分は，とばし読みすることをおすすめします。もっと理解したくなったときには，いつでも戻ってくればよろしいのです。

## 「目は体」の発見

「序章」で書いたように，メガネ離れをして1年後の1992年，ある日のこと，私はニュージーランドのオークランドにある自分のスタジオで椅子に腰かけていました。私はそこで子どものころから抱えている乱視——角膜のカーブの歪みによるもの——について考えていました。角膜に入り込めないものかなと思いながら，私は角膜と，とくにその内側について考えはじめました。すると角膜が筋感覚的にわかったのです。角膜を硬くするように考えをめぐらせると，胸が目立って縮みこんできたことに私は気づきました。私はアレクサンダー・テクニークの教師ですから，この状態から抜け出し，前

屈姿勢を直すことはわけもないことです。しかしその状態にとどまることにし，そのかわりに角膜をゆるめることを考えてみました。とたんに胸はもとに戻り，姿勢も良くなりました。好奇心にかられた私は，再び角膜の〈なかに入る〉ことにしました。角膜を硬くしようと思うと先ほどと同じように胸が屈みこんだのでした。角膜に入ることを思うだけで，まるでヨーヨーのように私の体は上下運動をしてみせました。これは面白いと思い，私はもっと調べてみることにしました。

　その後，何週間かかけて，私の生徒にも同じように角膜へ入れるかどうか思ってみてもらいました。すると彼らも入ることができ，驚くべきことに胸の硬直と弛緩が生徒たちにも確実に起きたのです。角膜と胸部にどんな関係があるのでしょうか。

## ターニング・ポイント

　これがターニング・ポイントとなって，視覚，姿勢，感情，さらには脳のはたらきまでを，同時かつ自然にはたらかせる，これまでとまったく異なった実践的な方法で取り組めるようになるとは，当時の私には知る由もありませんでした。

　私は近視だったので，自分の眼球が軸方向に長くなりすぎており，それにともなって網膜も変形してしまっていることを知っていました。ですから次に生じた疑問は，網膜と関連している体の部分がどこかにあるのだろうか，ということでした。はたしてそれはありました。角膜のときと同じように，網膜に入ることを思うだけで腰の硬さがゆるみました。すると私は背が高くなり，骨盤の上にバランス良くのっていたのです。

　その後，何カ月にもわたり，私は目のどの部分が体のどの部分につながっているかについて詳しく調べました。これは私にだけ起きる現象なのかもしれないという疑問もわいてきました。しかし生徒たちも私と一致した関連性を見せていたので，私だけの現象ではないことがわかりました。これらの関連を紙の上に描いてみると，目と体のあいだには規則的なパターンがあるこ

とが見えてきました。私はこれを「アイボディ反射パターン」と呼ぶことにしました。私のこの関連性についての理解は，年々，発展し深まっていますが，現時点でわかっていることを，本書末尾の後見返にあるカラー図にまとめてありますのでご参照ください。

## アイボディ反射パターンの概要

　研究を進めていくなかで私は，全身が目だけにつながっているのではなく，視覚システム全体とつながっていることに気づきました。それは漢方における経絡や，手足のリフレクソロジーの反射区のように体とくまなくつながっていましたので，このシステムにおいて脳は不可欠なものであるということがはっきりとしたのでした。

　まぶたと結膜の層は頭および首と関連しており，眼球そのもの（角膜から視神経の入口まで）は胴と関係しますし，白目（強膜）と視神経の外鞘は腕と手に反映しています。また，視神経や視放射のような視覚路は脚部と関連しており，視覚野は足と関連しています（本書末尾のカラー図参照）。

　これを逆に体のほうから見てみると，頭と首はまぶたと結膜，胴体は眼球と，手と腕は強膜と視神経外鞘と，脚は視神経と，足は視覚野と関連していることになります。

　眼球が縦に変形しており，それにともなって網膜も変形しているとすれば，腰が影響を受けることになります。もしすねを蹴られてあざができたら，視覚路に影響が出るでしょう。まさに目と視覚のはたらき全体は，人体の小宇宙といえます。それぞれの部分が特定の方法で相互に関係し合っているのです。

## 目ではなく，脳が見ているのです！

　ものを見ているのは目ではなく，脳なのです。目は脳のために視覚的な情報を収集する器官なのです。ちょうど私たちの手が触覚情報を集め，それを

脳で解釈しているのとまったく同じです。手も，目も，脳とのつながりなしでは，なんの役にも立ちません。このことの理解が大前提となって，見ることが変わるのです。

　普通の考えでは，目の形とか大きさとか方向性を問題にしていますが，私の考えでは，これらは症状としてあらわれているのにすぎません。メガネとか，コンタクトとか，手術とかは，症状をなくすだけであって，目の後ろにある全人間的な知的感情的精神的状態は忘れられたままです。はっきり見えるかどうかだけを気にすることで，症状だけが問題になり，根本的原因が忘れられ視覚システムの多重的機能が見すてられています。私の理解では，すべての視覚的機能不全は，視覚脳の特定の部分の機能不全に原因があります。ということを念頭において，目から脳にかけて，システム全体を見てみましょう。「目」だけではなくて，見ること全体にかかわる通路全体について学ぶことによって，あなたの視覚システムのはたらきがほんとうに理解できます。

# 目の解剖学と生理学

## 胎内における目の形成

　胎内での目の形成は受胎後 3 週間で始まります。その後わずか 7 週間で，成長中の脳組織の層の一つから眼球が生成されるのです。そういったわけで，目は脳の一部なのです——また，目とは脳のなかで唯一外界にさらされている部分ともいえます。さらに妊娠して 7 カ月が経つと，胎内でまぶたが開きます。

## 目の外側

　目の外側部分から始めますと，目の補助的部分として，角膜とまぶたのあいだに結膜の層があります（図 2-1）。まつげはまぶたにつながります。涙腺は涙を生じ，涙は涙管から分泌されます。

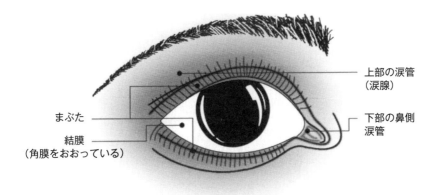

上部の涙管
（涙腺）

下部の鼻側
涙管

まぶた

結膜
（角膜をおおっている）

図 2-1　目の外側部分

## 眼　球

　眼球はもちろん球体です。目をかたちづくる構造物はすべてこの球体とい
う環境のなかに存在することを忘れてはなりません。目の外側の層をかたち
づくるものは強靭な強膜であり，その一部分は外からも見えますし，内部に
たたみこまれた部分もあります。強膜の層は前方では角膜と続いています。
外眼筋は片方で強膜とつながり，もう一方で視神経の外層とつながり，これ
が目を上下，左右に動かしているのです。これは外から容易に見ることがで
きます。目は脂っこい液体に乗っかり動きやすく保護されているのです（図
2-2）。

　目の前部にあるのは，外から順に，角膜の三層と，眼房水（前眼房のなか
の液体），瞳孔（虹彩の穴），虹彩（目のなかの色のついた部分）です。虹彩
の後ろには水晶体があり，それは小さい繊維で毛様体とつながっています。
水晶体はこれらの筋繊維とのつながりで動いたり形を変えたりします。

　目の中央部をかたちづくるのは，ガラス体（眼球内部の透明な液体），網
膜，それを囲む脈絡膜です。

　光線は目に入ると多くの繊細な構造と液体を通りぬけます。まずはもっと
も外側の角膜です（図2-3）。光線はさらに眼房水を通り，瞳孔，水晶体，

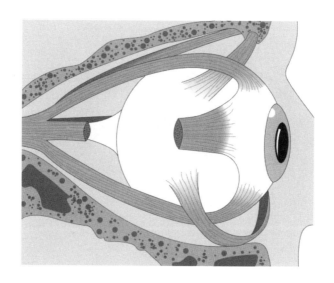

図2-2　眼球と六つの外眼筋

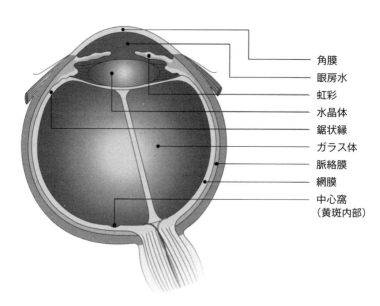

角膜
眼房水
虹彩
水晶体
鋸状縁
ガラス体
脈絡膜
網膜
中心窩
（黄斑内部）

図2-3　目の断面図

さらに進んでガラス体を通りぬけ網膜全体に達し，網膜最後部の黄斑と中心窩にいたります。

調節作用は光線が目に入るのに必要ですから，遠近に応じながら，中心窩に届きます。目の周辺，前側，内部のいずれも調節作用において積極的にはたらきます。それと反対に，網膜の一部としての中心窩は受容器です。それは光線をメッセージに変換し，神経インパルスとして脳に送ります。ありきたりの考えでは，調節作用にかかわりがあるのは水晶体と，せいぜい角膜くらいということになっていますが，私の経験とは異なります。

## 網　膜

目の裏地となっている網膜は重なり合う光受容器の層であり，桿状体と円錐体から成り立っています。網膜には1臆3700万の光受容器があり，そのうち桿体は1億3000万，錐体は700万，すなわち95対5の割合になります。これらの光受容器が光線によって刺激され活性化するのです。これらは脳に「配線」されていて，刺激されると情報を視覚脳に送ります。錐体受容器は中心窩とそれをとりまく黄斑に集中していて，この部分は焦点をあわせて見ることを引き受けています。桿体受容器は主に網膜の周辺に広がり黄斑の縁から鋸状縁の「ぎざぎざ縁」にまで続き，目の前部に届いて終わります。

視覚には五つの特性があります。奥行き視覚，色，動き，明暗，形です。これらはすべて視覚皮質において処理されます。桿体と錐体のそれぞれの役割についてはっきりした意見の一致はなさそうですが，この二つは異なった情報を受け取って伝達しているにちがいありません。ひとつ意見が一致するのは，錐体光受容器は高い解像力と焦点のあった視界と色彩の認知に欠かせません。桿体の受け持ちは夜目と周辺視野だといわれています。網膜の層は鋸状縁を通り越して瞳孔まで届き，さらに伸びていきますが，鋸状縁より先には光受容器はありません。

このシステムが全体としていかに複雑なものであるかは，今の科学では他人から他人への網膜の移植は成功していません。しかし心臓，腎臓，肝臓，

肺臓，さらには角膜までは移植されています。ところが網膜を脳の配線につなぐということは，神経回路網の広がりがりがからむために成功していません。

網膜の外側には角膜の層があり，ここから網膜へ血流が補給されます。血流はまた角膜の層を前方へ流れて毛様体に届き，眼房水を生じて分泌させます。

### 脳への伝達路

網膜から入った情報は，神経インパルスとして視神経を通過（視交叉で情報は一部交叉されながら）し，脳幹のあたりで視床の外側膝状体へ行きます（図2-4，2-5参照）。中心窩からの細かい視覚的情報や，フォーカスして見たものの情報，そして色の知覚は繊維の束（いわゆる視放射，つまり私が下部視放射と呼ぶもの）を通り，一般的に有線野とか一次視覚野と呼ばれている視覚皮質へと入ります。私はこの部分のことを下部視覚野と呼んでいます。下部視覚野はフォーカスされた視覚や色彩認識を担う部分です。私はこの経路全体を下部視覚路と呼んでいますが，これははっきりとものを見るときの視覚の経路になります。

# 三つの脳

進化の過程で，私たちは三つの脳を発達させました（図2-6参照）。そのなかで最初に発達したのが，爬虫類の脳であり，これはすべての脊椎動物に共通してあります。本書においては〈爬虫類の脳〉という言葉を使っていますが，これは脳幹，第三脳室，間脳のことをあらわしており，これらには視床や視床下部と，視床や視床下部につながっている松果体，脳下垂体，外側膝状体も含まれています。これらの構造体はすべて視覚システムにかかわるものになります（図2-7参照）。また，私たちの体の機能を協調させているのもこの爬虫類の脳なのです。

さらなる進化の過程において，大脳辺縁系が発達しました。それは感情脳

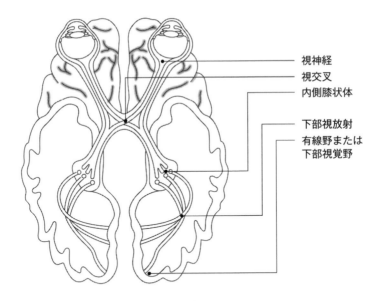

図 2-4　下部視覚路

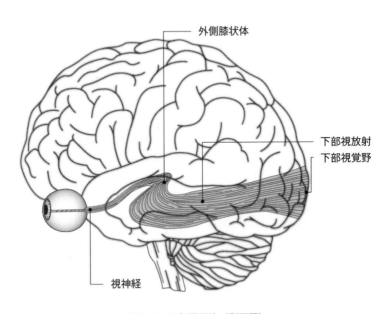

図 2-5　下部視覚路（側面図）

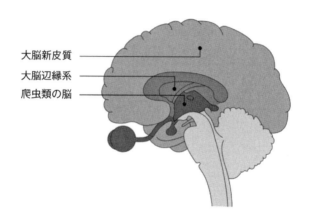

図2-6　三つの脳

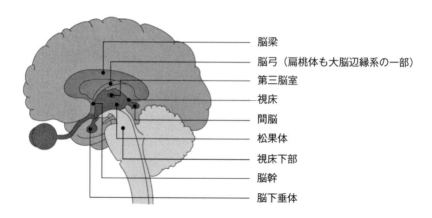

図2-7　視覚システムにかかわる神経構造

とも考えられます。すべての感情的記憶はここに蓄えられます。またすべての感覚的入力, 音, 臭い, 味, 触覚, 視覚を受け取ります。大脳辺縁系は爬虫類の脳を包みこむようにしてあります。本書で取り上げられる大脳辺縁系というのは, 直接に間脳をくるみこんでおり, 視覚システムに大いに関係している部分であると言っておきましょう。同部は扁桃体, 脳弓, 大脳辺縁系の脳液, 脳梁の下3分の2を含んでいます。

大脳新皮質は進化的に見てもっとも新しい部分になります。この部分は私たちの〈意識〉する脳であり，月に到達したり潜水艦を建造したりビジネス戦略を練ったりできるのはこの部分のおかげなのです。何をいつやるのかといったことを選択しているのも，脳のこの部分になります。

　私たちの脳は，すでにある脳にかぶせて，さらに新しい脳を築くというかたちで長い時間をかけて進化してきました。それぞれの〈脳〉には基本的機能があり，それぞれ生理的なもの，感情的なもの，知的なものにかかわりがあります。視覚システムはそのいずれをも通りぬけているのです。

## 視 覚 脳

　脳の視覚野は頭蓋の後ろにあり，新皮質全体の4分の1から3分の1を占めています（図2-8参照）。私たちの脳の容量の多くが視覚処理に用いられているのです。自分の視覚野の大きさは手のひらで測ることができますが，おおよそ高さは10センチで幅は6センチ，奥行きは4〜5センチになります（図2-9参照）。

　視覚野は絶えず脳のほかの部分に情報を送っており，この視覚情報の処理

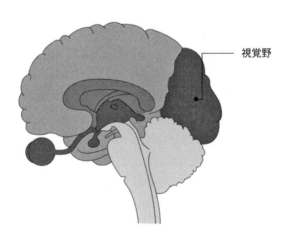

視覚野

図2-8　視覚野

図2-9　視覚野の大きさを測る

のために脳全体の60パーセントがはたらいています。脳内の神経経路は，あらゆる視覚的思考によって作動させられています。視覚野は視力のみにかかわっているのではなく，ほかの側面にも，視覚的記憶や視覚的想像力，夢の映像などあらゆる視覚に関する面にもかかわっているのです。おそらく目を閉じているときでさえ，視覚野は忙しくはたらき回っていることでしょう。

## はっきり見えるとは，どういうことか
### ——その従来的解釈——

　ものをはっきりと見るためには，光は水晶体だけでなく角膜でも焦点が合う必要があり，それにつけ加えて涙液と眼房水，さらにはガラス体によっても屈折されてから，中心窩に届く必要があります。メッセージはさらにこの中心窩から視神経を通って外側膝状体にいたり，（視放射の線維を経て）下部視覚野に達します。

　ものがぼやけて見えるようになってメガネが必要になるのは，眼球の形が

変わってしまうからであると一
般的にはいわれています（図2
-10 参照）。たとえば近視の場
合は，眼球の軸が長くなってし
まって光が網膜に届く前に焦点
を結んでしまうから起きると考
えられています。脳が遠くのも
のをぼやけて知覚するのはその
ためです。凹レンズ——近視の
人がはっきりと見るための昔か
らの道具——は，光を屈折させ
中心窩にきちんと〈ぶつかる〉
ように設計されています。その
ため脳ではっきりと見えるので
す（図2-11 参照）。

　若年からの遠視（屈折性遠
視）の場合は，眼球の幅が広く
なりすぎ，目全体としては軸方
向に短くなります（図2-10 参
照）。また，眼球が小さすぎる
ために起きるのだともいわれて
います。凸レンズも，光が中心
窩にきちんと〈ぶつかる〉よう

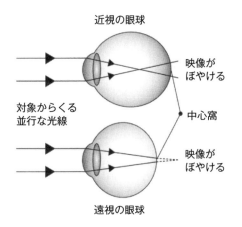

図2-10　近視の眼球と遠視の眼球

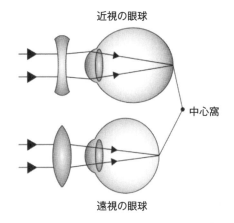

図2-11　メガネの助けをかりたとき

光を屈折させるために，このような形に設計されています（図2-11 参照）。
このようにしてぼやけて見えていた近くのものを，脳がきちんと認知するよ
うになるのです。

　老眼の場合は，目の前方部分，とくに水晶体とその周辺の毛様体関連の筋
肉が，近距離に合わせるための適切な調節作用に失敗しているのです。老眼
鏡は遠視用メガネと同じ原理で設計されています。

# ほかに方法はないのでしょうか？

　一般的には目および視覚システムというものは見るためだけの道具なのだから，はっきり見えれば見えるほどよいとされています。メガネやコンタクトレンズ，それに近年ではレーザーによる視力矯正手術といった手法が，はっきり見えるようにする手段であるとされ，世界中で用いられています。しかしメガネの使用や手術を受けるといったことを長期的に見た場合，副作用が出る恐れはないのでしょうか。また，目と視覚システムの目的は，ただ視力ということだけですますことができるのでしょうか。

## 私の見るところでは

　眼球の変形だけを問題にするのでは，視覚の不具合の理解にも助けにもなりません。私たちが自分の目の前になんらかの矯正用レンズを置くとか，矯正のためのレーザー手術をおこなうと，私たちの視覚システムに入ってくる光線はすべて中心窩に強烈に集中され，自発的な調整作用はすべて排除されます。前にも書きましたが，光受容器の5パーセントが中心窩にあり，95パーセントが網膜の周辺部分にあります。メガネをかけると中心窩は光線によって集中攻撃され，網膜のほかの部分は無視されています。錐体への通り道は交通渋滞し，桿体への道は無駄になっています。この結果として，光受容の最終目的地である下部視覚野がはたらきすぎになり，周辺部の光受容の最終目的地である上部視覚野は失業しています。

　視覚脳は非常に特殊な方法で目を方向づけます。そして，メガネとかコンタクトとかレーザー手術はこれらの仕事を邪魔します。視覚システムはフィードバック機能ですから，情報を受け取り，処理して，システム全体を方向づけます。視覚野は調節能力それ自体をも支配します。目の外側，前側，内側が調節作用を担当しますが，それは視覚野からの命令と調整によるのです。ですから，調節作用の不調をメガネで対処しようというのは，対症

療法でしかありません。そのことによって，かしこくて器用で能力のある脳の才能を発揮させずに，上部視覚野の積極的な参加を妨げているのです。メガネとコンタクトレンズが調節作用の仕事を独り占めにして，それが習慣になってしまうと，脳が自分の仕事をしなくなります。

## 経験的解剖学・生理学

　自分自身の視覚で実験することによって，私は全般的アイボディ・パターンと脳への経路を特定することができました。私は視覚システムのさまざまな部分へ入り込むための手順を考案して，それを多くの機会にグループもしくは個人に教えるために使っています。私自身の視覚システムへの理解が深まるにつれ，一歩一歩視覚システムを再び効果的に使えるようになるためのお手伝いを，できるようになったのです。

## 高度な視覚機能
### ——協調と統合——

　網膜にある錐体から中心窩を経由して下部視覚野（脳のはっきりとものを見るための部分）にいたる伝達路については先に述べました。しかし，網膜にある光受容器のうちの 95 パーセントを占める桿体の伝達路についてはあまり知られていません。この桿体の伝達路が，視力以上の役割をもつことが私にははっきりとわかるようになってきました。健康な体や，明快な考え，感情のバランス，霊的つながり，活発で調和のとれた脳のはたらきを統合するだけでなく，視覚路を生理学的にはっきりと変化させる能力を大いに秘めているのが，この桿体の伝達路なのです。

　それには視床の一部である外側膝状体が重要な分岐点になります。錐体がとらえた中心窩の情報はここを通り，下部視覚野に直接に入り明確な視野を供給します。そして光受容器の残りの 95 パーセントを占める桿体からの情報は周辺視野——私はこれをパノラマ視と呼んでいます——であり，外側膝

状体を通り前と上へ向かい，視床を経て松果体に沿って進み第三脳室にいたります。一部の情報は，さらに前部へと進み視床下部と脳下垂体に到達します（図 2-12 参照）。

　これがどういうことなのか，簡単に解説してみます。あなたは今，この本のこのページのこの文字を読んでいますが，それはたぶんフォーカス視で読んでいることになります。それではもう一度，わざと文字にフォーカスを合わせてみてください。今度は考えを切り替えて，パノラマ視を使ってみましょう。網膜と脈絡膜が広がると思いながら，このページが見えるようにするのです。見え方が変わったことにお気づきになったでしょう。見え方だけではなく，呼吸や気持ちにも変化があらわれたことにも気づくかもしれません。パノラマ視を使おうとすると，あなたは自分の意図でもってさらに多くの桿体受容器へと入っていくことになり，それによって脳内のさまざまな神経経路も刺激されるのです。第 8 章では，このパノラマ視の使い方について

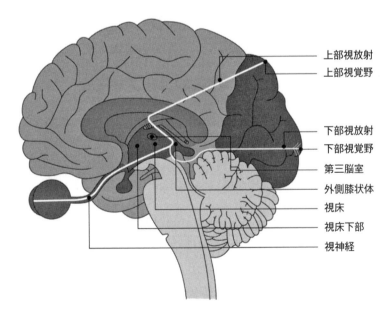

図 2-12　上部視覚路（白線部分）

上部視放射
上部視覚野

下部視放射
下部視覚野
第三脳室
外側膝状体
視床
視床下部
視神経

さらに詳しく述べられています。

　パノラマ視を使おうとすると，実際に視床および視床下部の機能が刺激されますが，この刺激は身体メカニズム全体の機能最適化のために不可欠なものでもあります。もし視床および視床下部がパノラマ視によって適切に刺激されていないとすると，体内の副交感神経機能——拍動や呼吸といったもの——に不調をもたらすことになり，さらには身体に悪影響をおよぼすことにもなります。これはフォーカス視ばかりしていると起きます。フォーカス視は下部視覚野のみを刺激するからです。

　外側膝状体から前と上へ向かい，視床を通り，第三脳室の後ろへ届いた桿体からの情報は，大脳辺縁系（感情の脳）を通過し，私が上部視放射と呼んでいる部分を通り，視覚皮質の上部にいたります。この視覚皮質の上部のことを，私は上部視覚野とも呼んでいます。第三脳室の後部から上部にかけ，辺縁系を通り上部視覚皮質にいたる部分を私は上部視放射と呼んでいます。また，私が言う上部視覚野がどの部分にあたるかといいますと，視床と大脳辺縁系の上部後方，また脳梁の上部後方にもあたる頭頂後頭領野のなかにあり，また同部は下部視覚野の上にあるともいえます。この通り道のことを私は上部視覚路と呼んでいます。

## 脳とアイボディ・パターンの関係

　目と体のつながりを発見してから何年か経ったとき，目と視覚システムのあいだに，それまで私が理解していた以上の関係があることに気づきました。ここで，脳のさまざまな部分（爬虫類の脳や辺縁系や新皮質）と目のあいだにあるつながりの概要を提示してみます。視床は目の内側とつながっており，辺縁系は目の前部，そして新皮質上部（上部視覚野）は目の外側部分とつながっています。これらのパターンが脳から出ているということを今はわかっていますが，あえて私はこのシステム全体をアイボディ・パターンと呼び続けることにしました（アイボディ・パターンについては本書末尾のカラー図を参照）。

# 今までの考え方とはお別れしましょう

　上部視覚野には視覚システム全体を統合する力が秘められており，私はその力のことを意識的奥行き知覚と呼んでいます。意識的奥行き知覚とは思考の方向づけ（パノラマ視と同種のもの）であり，脳のすべての領域に調和と統合をもたらします。このメカニズムのおかげで機能的バランスのとれた状態がシステム全体にもたらされることになり，その結果として明確な視力と考えも生まれてくるのです。

　次章では視覚システムの複合的機能についてさらに述べることにし，第一次協調作用にも目を向け，このメカニズムがいかに脳と目と体に影響をおよぼすのかについて見ていきましょう。

# 第3章　脳の視覚機能の基本的タイプ

## 一次・二次機能

　前章においても述べましたが，視覚システムには見ることだけではなく，複合的な機能があります。その機能には，二つのレベルがあります。第一次的機能は内的環境とかかわり，第二次的機能は外的環境とかかわるものです。

　第一次的機能は生理，感情，知性の状態を整えるものです。また私たちが，生理的，感情的，知的に元気に過ごせるように，基礎部分で調和を保ち，最適な状況で動けるようにするのに必要な機能でもあります。視覚システムと視覚情報の伝達経路は，爬虫類の脳，辺縁系，新皮質の三つの脳にそれぞれ存在します。ですから，視覚システムというものは非常に根本的なものであるのです。私たちが望ましいかたちで呼吸をし，食物を消化し，動き回り，適切な判断を下したり睡眠をとったりするためには，視覚システムが順調にはたらく必要があります。私たちには生まれつきの回復力というものがありますから，一次機能が完璧に機能しなくとも生きていけますが，それにも程度というものがあります。目とか，脳とか，身体の，もろもろの症状とか不具合とかは，そのもとになっているものは視覚システムの使い方が悪いから起こることなのです。

　はっきりとものを見ることは，視覚システムの二次機能になります。二次機能は，どちらかというと外向きのもので，たとえば読書やコンピュータの操作ですとか，鍵を探したり，他人との意思疎通をはかったりすることとか，必要に応じてはっきりとものを見るといったことです。このことに驚か

れる方もいらっしゃるかもしれませんので，あえてここでもう一度強調しておきたいと思います。はっきりとものを見ることは，視覚システムの二次機能であって一次機能ではありません。これら二次機能は，一次機能が正常に機能しているときにのみはたらく機能なのです。それを知らず知らずのうちに，ほとんどの人はこの一次機能を著しく弱めてしまっています。ということは，二次機能（日常生活における活動）が疲れきってしまっていて，目一杯の努力をしているということを意味しています。きちんとものごとをこなすためにはさらなる努力を始めることになります。すなわち人生イコール努力ということになってしまいます。

　脳のなかに新しい伝達経路をつくることは可能で，そうすれば一次機能を調和させることができますし，二次機能のはたらきをもっと楽なものにできます。そうすれば脳を含めた全身が，十全の能力を発揮できるようになります。私たちは感情的にも霊的にも，この新たな調和の影響を受け，安心感，満足感，幸福感が増えることになります。

## 上部視覚野の二つの特徴的タイプ

　上部視覚野に見られる主な相違点——同部が拡張しすぎている（広がりすぎ型），もしくは収縮しすぎている（収縮型）という相違——は，二つの対立した特徴的タイプのもとになっています（図3-1参照）。私たちはどうやら生まれつき，これら上部視覚野のパターンのうち，どちらかが優勢にはたらくようになっているようです。上部視覚野のタイプがどの時点で定まるかを私はまだ確認してはいませんが，おそらくは生前，それも受胎期あたりで定まるのではないかと考えています。また，上部視覚野のタイプは，経験によって習得されるものでもありませんし，もう一方へ変わるということもないものであり，やはり生まれつきのものであると思われてなりません。上部視覚野は視覚システム全体を導くものですから，こういった特徴差により，内的にも外的にも異なった視覚的経験を生じさせます。最終的には遠視や近視，その他の視覚障害となり得ます。

図3-1　二つの対照的なタイプ
テレビを見ている収縮型（左）と広がりすぎ型（右）の人

　これをわかりやすく言いますと，広がりすぎ型上部視覚野の場合は遠視
（若年性のもの）の原因となり，収縮型の場合は近視のもとになっているこ
とになります。近視と遠視は視覚障害の双璧ともいえるものですが，その他
の障害（乱視，老眼，緑内障，白内障，斜視など）に関しても，たとえ今は
はっきりと見えていても，上部視覚野のタイプの違いに原因が求められま
す。

## 広がりすぎ上部視覚野

　このパターンをもつ人はみな，ものが大きく見える傾向があり，しばしば
実物以上の大きさに見えています。広がりすぎ型の人は発想方法，アイデ
ア，計画のいずれにおいても，収縮型の人が考えつくものよりも大きいもの
を考えています。広がりすぎの人たちは，ときに〈ふっと消えてしまいたく
なる〉傾向——自分自身や周囲との関係を断ちたいという傾向——があると
いいます。

これらの人は目立ちますし，人とは違うところがあります。収縮型上部視覚野の人たちが多数を占める世界において，広がりすぎの人は，どうもうまくいかないようです。広がりすぎ型の人の世界はずっと大きいものなので，しばしば誤解されてしまうのです。彼らの視覚野のはたらきは，広がりすぎに向かうのです。視覚野が拡張されすぎ（視覚路を大きいものとして見るために広がりすぎてしまう）ことにより，水晶体と目の前部一帯がその圧力を直接に受けることになってしまいます。これは欲求不満や短気を起こしやすくしてしまうのですが，とくに自分との対極の存在である〈小さな〉脳の人たちといっしょにいるときに，がまんがならなくなります。広がりすぎの人は，ほかの人たちの考えに対してすぐにいらいらするようです。大げさで野心的であるともいえます。遠くにはっきりと見えるものは，それを手に入れたくなります。素晴らしいと思えないことはやろうともしません。これもまた欲求不満を引き起こす原因になっています。ときに小さなことをやったり，こつこつとやるのが目標達成には必要な過程であるのですから。

　このタイプの人は，視覚野が拡張しすぎるためクローズアップ（近接撮影）の世界に脅威を感じ，人を受け入れるのが難しいのです。そのため人を遠ざける傾向があり，自分が怯えていることを隠すために強気な姿勢をとり，ときに強圧的な態度に出てしまいます。また，正反対のタイプの人とかかわるときに，よそよそしさを感じさせることがあります。このタイプの人の感情的境界線はとても強固で，かたくなでさえあります。接近されることへの恐怖をとりはらうためには，安心感と信頼が必要です。子どもの場合，この傾向によって親密な関係構築が阻害されることがあります。

　クローズアップされたものを見るとき（その際は視覚システムのスイッチを部分的に切ることになる）には緊張し，フォーカスしすぎたりはしますが，広がりすぎの人は優れたオーガナイザーでもあります。こういった傾向があるということは，用心深いということでもあるのです。遠くのものが明確に見えるだけでなく，鋭敏な聴覚も有しているのです。音について過敏ということは，周囲への警戒を怠らないことでもあります。ときには入ってくる情報に圧倒されてしまい，自分が攻撃されているように感じてしまうこと

もあります。

　広がりすぎる世界というのも楽なものではありません。見えるもの，感じるものが何であれ大きいものになるので，ほかの 80 から 90 パーセントの人たちが見ている〈小さな世界〉が意味をなさないのですから。ほんとうはこんなに大きなものなのに，なぜそんなに小さくするの？　と広がりすぎの人は思ってしまうのです。

　このように広がりすぎることが原因となって屈折性遠視（幼少時から起こる遠視）になることがあり，ときには斜視にもなり，また老眼や緑内障になることもあり，または白内障になったり光線に過敏であったりすることもあります。はっきりとものが見える人のうちの何割かがこのタイプに入ります。メガネを処方されたとしても，遠視の人にとってメガネなしですますことは容易なことですし，メガネが必要になるとしても読書するときくらいのものです。また，感情的に接近される状況に入るときに，安全策としてメガネをかけることもあります。広がりすぎの人の場合，このことに気づいてしまえば，メガネなしで過ごせるようになります。

　アイボディ・パターンの見地から見てみると，広がりすぎのパターンは視覚路から新皮質，辺縁系，爬虫類の脳にかけて起きているため，目も幅が広がりすぎています。とくに目の前部——瞳孔，虹彩，眼房水，シュレム管，角膜，まぶた——の幅が広がりすぎています。身体的な徴候としては，頭蓋，首，肩の骨格に緊張が見られ，また呼吸，とくに心臓に緊張が見られます。これらすべてが広がりすぎの影響なのです。

　広がりすぎ型の人がいったん視覚システムの統合に取り組みはじめると，概して素晴らしい効果を得ることになります。他人とのつながりがより楽になり，自己，および他者への欲求不満も喜びへと転じることになります。近くからも遠くからも楽にはっきりと見えるようになり，満たされた時間を過ごせるようになるのです。

# 収縮型上部視覚野

　収縮型の人の特徴は詳細に心をくだくところにあり，ときにそれは正確ではありますが，そうでないときはぼうっとぼやけています。このタイプの人はものごとの限定された部分をフォーカスして見たり，こぢんまりとものごとを見る傾向があります。収縮型上部視覚野の人は潜在的に近視であり，近くにあるものの細かい部分をほんとうにはっきりと見ることができます。老眼が進んで近くのものがぼやけて見えるようになっても，この心的傾向は残ります。

　心理面を見てみると，このタイプの特徴は前頭葉でものごとを考えるところにあります。つまり，細部にフォーカスしすぎるため，大所高所からの見通しを欠いてしまうのです。また，考えが散乱しがちであり，すぎたことをくよくよ考えてしまい，そこに足をとられてしまう傾向があります。このため，臨機応変に対応する能力が損なわれています。感情について見てみると，恐怖感，不安感，挫折感をもったり，自己卑下をしたり，融通がきかなかったりする素地があります。

　アイボディ・パターンを見てみると，上部視覚野がエネルギー的には螺旋状に前部と下部へ向かうため，辺縁系が視床を押しつけてしまいます。脳は目と切り離せませんから，目の前部と補助的部分も脳といっしょに縮みます。その結果，瞳孔，網膜，脈絡膜，ガラス体が硬直してしまい，視床への刺激が不足し，網膜周辺の光受容器が情報としての光を充分に受け取れません。この刺激の欠如により視床は狭まり，後方下部へと移動してしまっています。結果として緊張した視神経が眼球を後ろへ引っ張ることになり，眼球を縦長に変形させてしまうのです。これにより網膜がパノラマ視機能をはたらかせることができなくなります。これが近視のパターンです。中心窩がはたらきすぎることになります。視床への刺激不足の結果，脳幹が短くなってしまい，これが体の前屈を引き起こしてしまいます。これが近視のパターンです。上部視覚野が本領発揮できていないことがおわかりいただけたと思い

ます。

　収縮型の人は，頭部と脳幹が後ろと下へ向かうので，しばしば姿勢が前屈
しています。そのために腰や骨盤，大腿部からひざにかけての部分が著しく
影響を受けています。

　身体的症状として見られるのは肝臓，脾臓，腎臓が酷使されていること，
呼吸および消化の不全や，ときには頭痛や偏頭痛が起きたり，加齢にともなって生殖器の機能不全が見られることもあります。

　収縮型の場合，幼児期から21歳までのあいだに近視になる可能性があり，
40〜45歳までに老眼になる可能性があります。視力が良い人であっても，
このカテゴリーに入ります。収縮型上部視覚野の人に見られる，ほかの機能
不全としてあげられるのは白内障，緑内障，乱視，飛蚊症（ひぶんしょう）などがあります。

　収縮型の人は，辺縁系（古い記憶が蓄えられている部分）への重量負荷を
軽減させる必要があります。視覚システムにおける辺縁系的側面を統合させ
る学習によって，収縮型の人はより調和のとれた状態を体験できるようにな
ります。このようにしてこだわりがなくなれば，古い記憶を並べ直したり焼
き直したりすることなく，記憶庫を整理しすっきりさせることができるので
す。それと同時に，統合の過程で身体機能は改善され，視覚システム全体も
活性化されることになり，自分とその周囲に関するよりはっきりとした長期
的視野を育むことができるようになります。


## 片側収縮，片側拡張の場合


　収縮と広がりすぎの組み合わせもあり得ます。片目が近視で，もう一方の
目が遠視というような場合です。とくに視覚的症状としてあらわれなくても
パターンとしてあり得ます。これはしばしば頭痛，極度の身体的緊張，疲労
の原因となります。というのも視覚路と体と脳の両側が，反対の仕方で機能
しているのですから。しかしこれは統合することが可能です（混合型につい
て詳細は本書162頁）。

# 広がりすぎ型と収縮型の原因とその影響

　私たちは誰でも，上記いずれかの傾向をもつ上部視覚野をもっています。視覚障害があろうとなかろうと，私たちの視覚システム全体のはたらきは，どちらかの傾向の影響下にあります。視覚障害がある場合，収縮型，広がりすぎ型のいずれにせよ，その原因はつねに上部視覚野に帰し，また上部視覚野が視覚システム全体の機能に影響をあたえていることにもなります。メガネをかけたり，コンタクトレンズを着用したり，レーザー手術を受けることによって結果は良くなりますが，原因に手をつけたことにはなりません。視覚システムを根本的に変えるためには原因に対処しなければならず，また，そうすることによって結果が変わってきます。目は上部視覚野から指示を受けています。ですから根本的な視覚の改善のためには，上部視覚野が完全に活動しているということが必要不可欠になるのです。

　どのようにして原因に対処したら良いのでしょうか？　次章で発見する原理を視覚システムに応用することにより，上部視覚野のタイプが何であろうと，統合の可能性がひらかれていきます。これら上部視覚野の基本的タイプの発見が，私の仕事の最重要原理であり，あとの部分はこの上に築かれています。

# 第4章 アイボディの原理

『オックスフォード英語辞典』の定義によると，原理とは「根本的な真理，命題であり……考えのシステムにおいて不可欠のもの……」となっています。

原理とは普遍的であり一定のものです。どのような状況においても真理であることに変わりはありません。本書もまた，原理に基づいて書かれています。

## アイボディの原理

### 1 上部視覚野のタイプ

上部視覚野のはたらき方には，生まれつきのものとして少なくとも2種類の基本的タイプがあり，これは意識でしか変えることができません。上部視覚野については前章で詳しく述べました。

### 2 脳，目，体のパターン

アイボディ・パターンは自分全体を支配しています。視覚システムのなかに，その人のひな形があるのです。脳，目，体のパターンには身体的，知的，感情的，霊的な諸相が含まれています。

### 3 第一次協調作用

第一次協調作用は上部視覚野に位置し，それは意識的奥行き知覚の発生によって刺激を受けることになります。

### 4 視覚が導くもの

視覚に導かれ，目と体，そして環境がついていきます。

これら原理の詳細について述べる前に，原理をとりまいているものや土台となるものに目を向けることにしましょう。

## 原理 vs 練習

　脳とはすべての動きの発生装置です。考えもまた動きの一つです。考えはMRI（核磁気共鳴画像法）によるスキャン映像によって，実際に体を動かしているときと同じような電気化学的処理が脳でおこなわれていることが見えています。実際に体を動かすときと，ただ単に頭で考えるだけのときでも，脳内では同じようなはたらきが発生しているという研究結果が出されています。呼吸や消化，循環などのレベルの活動は，自律神経組織によってつかさどられており不随意的であると考えられています。私たちはこれらの機能をはたらかそうと意識しなくても，勝手に動いてくれているのです。

　私たちの動作の多くは，動作することをとくに考えなくても起こせるものです。たとえば，歩くときに私は〈ひざを曲げて，伸ばす〉といったことを考えはしません。これは私の脳が，習慣として歩くということについて学習済みだからなのです。私の脳が私の歩きを調整してくれているので，私自身は，自分で歩くことについて考えている，といったことに気づくこともないのです。これは車のラジオのチャンネルをプリセットしておくのと同じようなことなのです。プリセットされていれば，ラジオ局の周波数を覚えておく必要もありませんし，周波数を合わせるためにダイヤルを左右に回すといったことも必要ではなく，ただボタンを押しさえすれば聞きたい局にいくことができます。脳のなかはこのような歩き慣れた小道（経路）が四通八達しており，そのおかげで私たちは，日常での活動のほとんどについて意識的に考えることもなく過ごせるのです。

　意識的に考えるということは，脳内に新たな経路を発生させる活動です。知的存在として，私たちには意識的に選択をして決定を下し，行動を方向づけるだけではなく，意思や考えをも方向づける能力がありますが，この能力が根底にあるからこそアイボディのワークが可能になったのです。アイボ

ディの原理が適切に用いられていれば，私たちは自分たちの脳を意識的に一貫した方法で使うことができるようになります。

　いわゆる「練習」について言いますと，私はこれからも練習を一生続けることはできますが，それだけでは根本的には何も変わらないままかもしれません。もし習慣的に練習を続けるだけなら，私は旧来どおりの脳の使い方をし続けることになります。そうすることによって得られるのは，練習をやったんだ，という達成感ぐらいでしかないでしょう。もちろん，練習をすることによって気分が良くなったり，血行が良くなったり，ものごとがはかどるようになったりはします。このように練習自体には何の害もなく良いこともあるのですが，根本的な変化を目指しているのであれば，原理こそが決め手になってくるのです。この原理を練習活動に用いてみると，活動全体が充実したものになり，これまでとまったく異なった性質になるのはもちろんのことです。そうなると練習は原理を適用するための補助的な手段になります。

　この作業における原理の中心となるのは，視力や視覚は柔軟なものであるということを理解することです。つまり，私たちがそれまで自分のやり方で目や視覚システムを使っていたのを，変えることができることを理解するのです。私自身は建設的なかたちで自分の視覚システムと視覚に直接的に影響をあたえることができますし，そうすることによって私の体と脳のはたらきにも間接的に影響をおよぼすことができます。

　この作業における，これら原理の土台について論ずるために不可欠なことは，アレクサンダー・テクニークの創始者であるF・M・アレクサンダーの貢献です。彼の原理は，私のこの発見の旅において大いに助けになりました。アレクサンダー・テクニークをよくご存じの方であれば，原理に基づくということがどういうことであり，アレクサンダーの考えが私の考えの土台になっているということもおわかりいただけるでしょう。

## 筋感覚と視覚システム

　筋感覚とは，私たち自身の動きの感覚であり，ときには〈失われた第六の

感覚〉と呼ばれます。筋感覚は自己感覚と密接に関係しています。私たちが自分の体の部分がどこにあるかということを，動かしたり見たりせずともわかるのは，この自己感覚のおかげなのです。信頼できる筋感覚が，効果的，効率的，協調的な視覚システムの作用には重要であり，この感覚があるからこそ自分の内部との関連についても信頼するに足る感覚を得ることができるのです。信頼できる筋感覚があることで目と視神経が軽く感じるようになり，眼中の液体への〈アクセス〉がより容易になり，そして爬虫類の脳，辺縁系，新皮質を内側から感じることができるようになるのです。この心的能力こそが，私たちの意図を目に見えるかたちで方向づけ，筋感覚の気づきを発達させることになるのです。

　しかし，視覚システム改善にあたって，筋感覚だけに頼るわけにはいきません。アレクサンダーは，いかに筋感覚や自己感覚があてにならないものであるかということについての詳細な記述を残しています。私たちは習慣に慣れきってしまっているため，習慣どおりにすることが私たち本来の能力を阻害していようとも，それが正しいことだと感じてしまうのです。私たちの現時点における気づきというものは，自分が完全に調和された状況にあるという誤った前提にのっているということです。ですので，筋感覚は手がかりとしてだけ用い，道具として頼りきりにならないようにしましょう。

## 自分は何をしているのか

　自分自身でやっていることを確実に知らずして，どうして変化させることなどできるのでしょう。必要なのは立ち止まって自分が何をしているのかを理解し，自分自身の思考プロセスを観察する能力を育てることです。ここで欠かせないのが，立ち止まって自分自身の考えのプロセスに耳を傾け，視覚システム内部で自分が何をしているのかに注意することなのです。人間に備わっている意識的な思考能力があるおかげで，私たちは視覚システム内で進行していることを客観的に観察することが学習できるようになったり，やがては自分の視覚的な癖を理解するようになるのです。これが基本になりま

す。そうしないとすれば，私は今までと同じように考え，見て，動き，感じ，行動し続けることになってしまうでしょう。私はまず自分の心的活動を観察できますし，次いでそれらを選択することができます。そして選択することにより，視覚システムの質および効率を改善することができるのです。これが変化させていくプロセスの基本になります。そして私は望むようにします。変化するように望み，改善するように望むのです。しかし，もし私が気がつかなかったり旧来の思考方法や行動様式をとり続けるならば，変化など不可能になってしまいます。意識的な観察能力を育てることによって，私は自分の内部で何をやっているかを発見することができますし，変化の可能性をつくることができるのです。

## 使い方で機能が変わる

　緊張しすぎた状態で自分の目を使ってしまうと，体もそれに反応して極度の緊張状態に陥ってしまいます。もし私がものを見るときにフォーカスしすぎるようなら，私の体は固まり，過労気味の反応をします。ものをあまりに一生懸命に見続けてしまうと，脳も目も体もくたくたになってしまいます。

　目の使い方は目の機能に影響をあたえます。視覚野の使い方は，自分の視覚野の機能に影響します。また，自分の脳の使い方が脳の機能に，体の使い方は体の機能に，そして上部視覚野の使い方はこれらすべてに影響をあたえることになります。

　意識するしないにかかわらず，私たちはつねに自分自身を使っており，その使い方の質が機能の質に影響をあたえるという考えが，アレクサンダーの基本的原則の一つになっています。これが何を意味するかというと，私たちの立ち方や座り方，感情的な状況において習慣的にどのように反応するかということ，ものごとの考え方など，これらすべてが人生のすごし方に直接かかわってくるということなのです。私たちの視覚システムもこの法則に従っています。視覚野のはたらかせ方が，ものの見え方に直接影響し，脳全体，全身の使い方にも影響をあたえるのです。

全体の調整役という役割を担っているため，多機能でありながらも繊細にできている視覚システムは，体の緊張をときほぐすことができます。視覚システム内の緊張を解放するには，視覚システム自体を通じて解放する必要があります。脳の一部である視覚システムは，命令伝達系統の頂点に位置しています。脳，視覚システム，体は，織り合わされたメカニズムの一部なのです。これらの部分がそれぞれに役割を果たし，さらに全体が調和されることによって，最大限に機能できるようになるのです。

## 第一の原理
### ——上部視覚野機能に見られる根本的かつ先天的なタイプ——

　第一の原理は，上部視覚野機能には少なくとも二つの根本的かつ先天的なタイプがあり，それを変えられるのは私たち自身の意識しかないということです。広がりすぎ型上部視覚野と収縮型上部視覚野については前章にて詳細に述べてあります。以下の原理については，それらを前提にして述べていきます。

## 第二の原理
### ——アイボディ・パターンは自分のすべてを支配している——

　第二の原理は，一人の人は全体的に視覚システムによって支配されているということです。アイボディ・パターンはすべての人に普遍的に存在しています。このことを踏まえ，これらのパターンの周辺および根底にある問題について説明していきましょう。

　習慣的に能率悪く視覚システムを使っていると，バランスが悪くなり，非能率な習慣が生じてきます。習慣的に非能率な視覚システムの使い方をしていると，視力が悪化し，感情がアンバランスになり，身体機能も不調をきたすようになります。たとえば，私が習慣的に自分の角膜を緊張させているとしたら，その結果として視力に異常（たぶん乱視）が起こるようになり，そ

れにともなって人と意思疎通をはかるのも難しくなり，さらには肩のあたりに緊張が起こるようにもなる可能性があります。

このパターンは，私自身が気づいていようがいまいが起こるのです。私が観察したところによると，すべての身体的，知的，感情的な経験の核になるものは，視覚システムから来ています。

ここで私が自分の視覚システムの一部に，たとえば網膜にパノラマ視するようにと指示を出してみたとします。すると私の骨盤と腰がゆるみ，縦と横に広がることにもなるでしょう。私が骨盤と腰をゆるめることを考えたとします。しかし網膜はそれにしたがってゆるんだりはしません。なぜなら，広がる衝動は，視覚システムからだけ発せられるものなのです。

私が事故に巻きこまれてしまい腰を痛めてしまったとしましょう。経験から言いますと，この場合，私の視覚システムも影響を受けることになるでしょう。網膜とガラス体（腰を痛めた場合）だけでなく，爬虫類の脳と辺縁系，新皮質にある全体を協調させるためのメカニズムにも影響が出ることになります。この影響は，はっきりと見えていたものがぼやけて見えるようになって，そこでようやく気がつくことになるでしょう。痛み自体は時間の経過や治療によってなくなるでしょうが，腰の傷によって生じた収縮とか痛み，いわばトラウマは，私が気づいているいないにかかわらず，何年か経っても視覚システムには残ることになります。このアンバランスの結果，長期間にわたり新たな視覚的習慣がついてしまうことにもなります。そのため視覚システムがその影響を受けてしまい，視力に障害が出てしまうこともあります。

ピラテス，フェルデンクライス・メソッド，ロルフィング（ストラクチュラル・インテグレーション），マッサージ，心理療法，カイロプラクティック，クラニオ・オステオパシー，もしくはほかのボディワークや心身ワークやアレクサンダーのレッスン，を私が受けたとします。おそらく私は体が軽く感じられるようになって，意識もはっきりとして元気になり，痛みも感じなくなるでしょう。また，考えもより明快になるでしょうし，より自分自身の調和がとれるようになり，姿勢も良くなると思います。しかしこれは，視

覚システムにとっては周辺的な影響があっただけにすぎず，目に対応している脳の部分に，直接にははたらきかけていないのです。意識を視覚システムに入り込ませられないかぎり，これらのパターンの原因を解消することはできないのです。視覚システムを根本的に変えるのであれば，直接にはたらきかけなければなりません。視覚路を見つけ出し，上部視覚野に入り込む意識的方法を学習し，自分の周りと接するときに奥行き知覚を応用することで，脳のいろいろな層に根本的な変化を起こせば，完全な心身の統合がもたらされるのです。

　体の一部分が，体のほかの部分に影響をあたえるシステムはこのほかにもあります。たとえば漢方では，経絡が体全体に関係しているとされています。手，足，耳のリフレクソロジーでも，全身の各部に対応する特定部分が手，足，耳にあるとされています。アイボディ・パターンには，これらのシステムと異なるところがいくつかあります。それは，視覚システムが脳の一部であることにより，私たちを構成しているもののより根幹に存在しているからです。脳組織は動作や肉体が始まるところです。リフレクソロジーを例にとってみると，確かに足は体の各部分とつながってはいますが，つまるところその足も脳によって支配されています。脳の外にある人体モデルは，本来からして二次的な存在にすぎないのです。さらに言うなら，アイボディ・パターンとは意識して見ることによって成り立っている道具であって，ただ単に機械的に存在しているわけではないのです。この脳を，変化の道具として使いますと，体の末端部から始めるよりも，ずっと根本的で長続きする変化をもたらすのです。意識的に決定を下すという能力を使うことにより，私たちは真に永続的な変化をなしとげられるのです。

### 視覚システムに備わる多重的機能——身体的機能，感情的機能，知的機能，霊的機能，周辺環境との相互作用機能

　私が最初に，目と体との関係を発見したとき，そういうことだったのか，と思ったのでした。次に私は，視覚路が視床にいたり，そこで体から発せられる感覚情報が協調させられていることに気づきました。そう気づいたこと

によって，視覚路が辺縁系を通っていることに気づき，さらに辺縁系が目の前方部分と関係しているということも理解しはじめたのでした。ここで私が発見したのは，古い記憶が脳の奥深くに蓄えられていることと，そこにおいて視覚システムの役割とが関連しているということでした。その頂点にあるのが上部視覚野であり，それは目の外側部分に関係しています。上部視覚野には意識的奥行き知覚があり，それが脳から目にいたる視覚路と，その先のすべてを統合しており，それによって環境と自分がまとまったものになります。

　脳のなかの階層はそれぞれ視覚システムに関連づけられています。爬虫類の脳は身体的機能に，辺縁系は感情的機能と，そして新皮質は知的機能とつながっているのです。意識的奥行き知覚はこれらすべてを統合し協調させるもので，身体的機能を超えたところにある，より微細な霊的機能につながっています。この意識的奥行き知覚は，脳と目を統合させるためだけにある機能ではなく，周囲のものごと，つまり環境にまで広がり，外界とつながるはたらきをもっています。

## 第三の原理
### ——第一次協調作用——

　F・M・アレクサンダーは〈初源的調整作用〉について記していますが，そこで彼は，この作用こそが全身の動きを協調させているのだと述べています。自分全体が適切に機能するためには，この作用がはたらく必要があることを彼は強調しています。彼の理解によれば，これは頭・首・背中の関係でした。そして私が体験したのは，脳の内部により深いメカニズムが存在しているということです。

　第三の原理は，第一次協調作用は上部視覚野に存在しており，このメカニズムは意識的奥行き知覚の発生によって刺激されるということです。それによって視覚システムの多重的機能が協調され，その結果として自分全体の協調が起こります。第一次協調作用は，新皮質，辺縁系，爬虫類の脳を通って

いる視覚路を統合しており，その全体を協調させています。ここで協調されているものには，視床と視床下部も含まれ，これらはさらに私たちの感覚，拍動，呼吸，ホルモン・バランス，そしてその他もろもろの不随意なプロセスを協調させています。この協調がシステム全体を最適なかたちで機能させてくれているのです。これを別の言葉で言うならば，意識的奥行き知覚こそ脳全体につながるものであり，また脳全体をつないでいるものでもあり，体の各部について考えることなく，自分全体を協調させてくれているものなのです。

　もし視覚路全体が適切に（もしくは全然）刺激されていないとすると，そのことに気づいているかどうかにかかわらず，私自身の機能全体が損なわれてしまうことになります。その結果，視力が落ちたり，痛みが出たり，明快な思考を欠いたり，自分自身そして他人との断絶が生じたり，その他の不調が全体もしくは部分的に出ることになってしまうでしょう。

　この初源的調整作用は誰にでもあり，使うことができるのです。ただし意識的奥行き知覚によって活性化されるまでは休眠しているのです。練習により脳がこのように活性化されるようになれば，私たちの活動がだんだんと効率的に容易に全力発揮ができるようになります。

　この初源的調整作用が新皮質を統一し活性化して，抽象的な思考，決定，映像化をもたらし，辺縁系を統一しますから，感情が身軽になり自由になります。また爬虫類の脳に影響して，身体状況が改善され，動きが楽になり，目もそれについていきます。

## 意識的奥行き知覚

　意識的奥行き知覚は，一次的調整機能を活性化して，意識的思考と視覚的過程として，上部視覚野において発生します。この過程においては物質的視覚通路と外界の諸相が視覚化されます。これにより内界と外界がひとつづきのものとして統合されます。ここで自動的，継続的に確かに起こることは，視覚システムと身体の解放です。これが視覚路，身体，神経組織，脳の思考過程を同時に調整する初源的機能です。

私たちはしばしば〈奥深い〉とか〈深い〉という表現を使ってものごとを語ることがあります。人物であるとか，思想，芸術などについて表現するとき，深さということについて一種の共通理解があります。どうしたら深みにいたれるのか，どうやったら深さをつくり出せるのかといったことについては知らないのですが，それを見たときにこれは深いかどうかということはわかるのです。どうやら深いものは，多層的かつ多機能的であり，深遠であったり普遍的であることを感じさせる響きがあるようです。同じ会話において〈浅い〉という言葉が使われたとしたら，これには否定的な意味合いがあります。

　この意識的奥行き知覚を用いれば，意識的に自分の奥深いところへ入り込むことは可能であり，それによって自分のすべての機能と側面を統合することができ，まったく自分自身でありながらほかの人ともじっくり過ごすことが可能になります。多くの芸術家，作家，ヨガ行者，求道者たちは，多種多様な瞑想や薬物といったものによって似たような体験に達しています。私は，その境地へいたるための鍵が上部視覚野から生じる意識的奥行き知覚にあることを発見しました。これはまた，はっきりと見えるようになったり，その他の視覚システムの二次機能を容易にさせることにもなります。意識的奥行き知覚によりつくられた統合に含まれるものは，はっきりと鮮明に見えるようになること，明暗，色，動き，奥行き，ものの形状が見分けられるようになるということです。またこの統合には感情的な行動や反応も含まれており，外界とのコミュニケーションや霊的一体感といったものもあります。これらのすべてが，脳と視覚路にそれぞれの領域をもっており，またその領域と身体的反応が連動してもいます。意識的奥行き知覚はこれらを一つに束ね，機能全体の力を最大限に引き出します。

　私がおこなっているワークショップでは，参加者に私の後頭部に手を置いてもらい，この第一次協調作用が活性化するとどうなるかということを外からでもわかるようにしています。私が意識的奥行き知覚を使うと，私の後頭部に手を置いている人はたいてい「頭蓋骨が少し動いているのが感じられる」とか「脳のこの辺がほかよりも活動しているみたいです」とか「骨が動

いている」とか「すべてが後ろに向かって広がっていくみたいで，頭全体の
バランスが良くなって脊椎のてっぺんに乗っかっているのがわかる」といっ
たことを言います。

　意識的奥行き知覚は脳の新しい通路を活性化します。この結果，脳の前部
に向かっての新しい自由な動きがつくられます。すると軽くなった新皮質が
爬虫類の脳から離れることができるようになり，それによって脳幹全体の収
縮が緩和されることになります。またこれにより，広がりすぎタイプの場合
には，より良い協調作用が起こります。そのおかげで神経組織と体全体の機
能がより自由にはたらきます。

　それと同時に，目にかかっていた微細な圧力がなくなり，より効率良く目
が機能するようになります。前頭葉と脳の聴覚部（間脳の下にあります）
も，上部からの圧力がなくなることによって機能しやすくなります。

　意識的奥行き知覚の過程に入ることにより，私たちは内界と外界について
新しく異なった経験をします。もはや二元的ではなく一体感の世界なので
す。


# 第四の原理
## ——ビジョンがすべてを導く——


　ベニスとナナス（Bennis & Nanus, 1985）の記述によれば，ビジョン（見
通し）とは「有機体が将来の状態についてもつ可能かつ望ましい心的イメー
ジであり，（中略）それは夢のようにとらえどころがないこともあるし，目
的とか任務の記述のように詳細であるかもしれない。（中略）組織の将来に
とって，現実的で，信頼性があり，魅力的な展望であり，いくつかの要点に
おいて現状よりも改善されるはずの状況」と定義されています。

　私は，ビジョン（視覚・見通し）というものを次のように包括的に定義す
ることを気に入っています。つまりビジョンとは環境と相互に作用し合って
いる協調された視覚システム（当然のことながら，奥行きをもったその人全
体もここには含まれます）のことであるということです。ここでいう環境に

含まれるものは，目的であったり，新しい組織化であったり，望ましい結果のことであったりします。たとえば私が手にしている本を読んだり理解したりすることであったり，そのほか私がやりたいことであったりします。

　第四の原理とは，見通しによって目，体，そして環境も導かれるということです。上部視覚野は意識的奥行き知覚を用いることによって舵取りをし，脳の残りの部分と目とさらに体が従って，私たちは周囲の環境と深く接することになります。視覚システムの上位機能が一人の人間全体の舵取りをし，周りの人びと，自分の置かれた状況，自分自身の選択といった外部との接触に際して道案内をします。

　現代社会においては前頭葉が優性に立っています。このことを視覚的に考えてみると，その結果として下部視覚野が負担に喘ぎ，上部視覚野は活気を失ってしまっているのです。そのために自分自身および他者との断絶を引き起こしており，これは現代社会の特質ともいえるものになっています。私たちの生き方はますます分裂的になってしまっており，自分自身とも離れ，人生においてほんとうに求めているものや，描きうる将来像からもかけ離れてしまっています。現代社会に生きる私たちは，いろいろな場面において，概して近視眼的，つまり全体的な見通しを欠いた判断を下しているのです。

　どうすれば自分を変えることができるのでしょうか。その第一歩は，視覚システム全体を協調させ，システムが有する多重的機能を効率的かつ効果的に作動できるようにすることです。この第一歩によって，人間としての私自身が望ましいかたちで協調され最善に機能することができるのです。そうすることによって，私はこの一次視覚機能を用いて望ましい結果を出せるようになります——この機能はすべて上部視覚野より発生しており，意識的奥行き知覚によって協調されています。私の脳，目，体は，この望ましい結果が出ることによって平静かつ効率的な状態になり，その結果，私自身と環境とのつながりが確かなものになり，すべてがうまい具合に続いて起こります。

　未来を思い描くことが現在をかたちづくります。ここまで述べてきたように奥行き知覚を用いて視覚化すれば，個々の集積よりも，全体のほうが強いのです。見通しが先行するということは，私の内部の協調作用と外部環境と

がひとつづきになるということを意味します。つまり，私が自分の内なる見通しを調和させることによって，私の周辺と一体化するということなのです。内部と外部は，脳の高次機能を協調させることによって相乗作用的に同化できるのです。

　新皮質前部での視覚化には，これほどの強力な効果はありません。実際に，新皮質前部での視覚がもたらすのは二次元的（平面的）なものでしかないからです。この方法では視覚システムにある経路は活性化されません。それは全体的な協調作用が欠けてしまうため，記憶と感情的バランスをつかさどる辺縁系と，私たちの意図と身体性を調和させている爬虫類の脳を排除してしまうからです。こういうわけで，新皮質前部での視覚化では望むような結果はもたらされません。

　もし私が習慣的に自分の視覚路を迂回してしまっているとしたら，第一次協調作用なしで生きることになるでしょうし，私の人生を適切に導くに足る見通しを欠いてしまうことになります。私の見るかぎり，多くの人びとが人生において身体的，知的，感情的に苦痛や不快感を感じている原因の一つがこれなのです。

　もし体や感情だけが私をリードするとしたら，私はばらばらで，まとめ役がいない感じです。頭を使って，その場しのぎをするばかりになり，まとまりがありません。上部視覚野から発する見通しが先に立たないかぎり，体と感情は明確な方向づけがなく，勝手な行動をします。これではかろうじて生きているだけで，幸せとは言えません。

　現代において，私たちは前頭葉での考えを重視しています。私たちの前頭葉は，情報やニュース，事実や統計事実を伝えることができます。これらは現代世界においてはお金と同じくらい重要視されています。私たちの大多数はコンピュータを使って仕事をしています。人によってはそれが一日中，毎日のことになっています。それを可能にしているのは前頭葉にほかなりません。しかし，一日中コンピュータを使ったあとに，自分との協調性や全体性が高まった経験があるという人など，誰ひとりとしていないと言っても差し支えはないでしょう。前頭葉というのは複雑かつ重要な部分ではあります

が，自分全体を協調させてはくれないのです。

　真のビジョンには脳，目，体の第一次協調が含まれており，この協調は自分の周辺世界にまで広がるものであり，この広がりは私たちが望んだ結果にまで到達します。私たちが三次元的見通しに従えば，目と体と周囲は調和してついて来ます。

　次章では，方法論について，また，さまざまな視覚機能障害がどのようにして起きるかについて見ていきましょう。類似する身体的，知的，感情的な構成要素において，どのようにしてこれらの原理が適用でき，変化をもたらすかについて述べたいと思います。

第**5**章 # アイボディ・メソッドと症例研究

　ここまでは目を解剖学的に調べたり，アイボディ・パターンをどのように
して発見したかということ，視覚システムの生理学——脳のどの部分が体と
姿勢につながっているか——について述べてきました。また，前章において
は，アイボディ・メソッドの原理と基礎をなすものについて論じました。

　ここまでで中心になることは，視力も視覚も変えられるものであると理解
してもらうことです。私たちは視覚システムの使い方や，思考方法の癖を自
分でつくり上げてしまっていますが，それは変えられるということです。原
理をとくに内側から応用し，意図（視覚システムを考えをもって導くこと）
を方向づけることによって，私たちは視覚システムや脳に対しては直接的
に，また姿勢や体と視力に対しては間接的に，前向きな影響をあたえること
ができるのです。

## アイボディ・パターンの学習について

　あらゆる視覚機能障害（近視，老眼，乱視，緑内障，白内障，光線過敏
症，眼精疲労など）は，視覚システムの身体的パターンとしてあらわれるも
のであり，その際に脳の各層における知的，感情的，生理的パターンをとも
ないます。これらのパターンは変えることができるので，視覚，脳，体の各
機能もそれにしたがって改善することができます。

　症状としてあらわれるのは，視覚や目の機能障害（メガネや薬物といった
処方がなされます）であったり，特定の身体的問題（たとえば腰痛，消化器
官の問題，呼吸障害など）や，または何となく気分や健康がすぐれないと
いった全般的な感覚であるかもしれません。アイボディ・パターンはこれら

の問題の根源に迫る手助けをしてくれ，真の変化を可能にします。表層に顔を出した問題にだけ目を向けていると，漠然とした症状を相手にいたちごっこをするはめになってしまうでしょう。

　私自身の視覚システムの筋感覚を高めることによって，私は確信をもって相手の視覚システム（体と脳のはたらきも含めて）の状態を判断できます。そうやって私はその人の視覚路を通じて，視覚路の道案内役になって手助けをします。案内する際には言語，視覚，触覚を用いたコミュニケーションをとることになりますが，ここで伝えられる情報は，私自身の視覚システムの感覚がさらに澄明になることによって得られるものです。どこかの部分がうまく機能していない場合には，収縮感があったり協調が不足していることが感じられます。そこで私は，相手といっしょにその収縮感をほぐす作業にとりかかることができるのです。その人の筋感覚が高まることによって，機能や協調作用が全体的に変わっていきます。生徒さんがアイボディ・メソッドを実践することで，自分の内部構造を理解したり自分の癖をなくすのがより容易になります。

　次の段階は，脳の視覚機能を再教育し協調させるのですが，そうすることによって目とそれに対応する脳の部分とが〈つながる〉ことになります。ここで姿勢と機能が同時に変化したことに気づく人もいます。繰り返すことによって癖がだんだんと変わり，脳，目，体といったシステム全体が最上のかたちで機能するようになります。

　このプロセスを通じて，アイボディ・メソッドの学習者は視覚的，身体的，感情的，知的な変化について多くのことを理解し体験することにより，成長していきます。この作業で学ぶことは，いろいろな意味で楽器の演奏の習得に似ています。私も最初に楽器を手にしたときは，何をどうしたら演奏できるのかがまったくわかりませんでした。しかし，良い先生について定期的に練習をしたら，一歩ずつ楽器の使い方がわかるようになり，だんだんと演奏も上手になります。継続的に練習すれば，学習プロセスを続けることになり，私の理解もますます洗練されていきます。視覚においても作業のプロセスは同じなのです。自分の視覚システムに対してはたらきかける技術が進

んでいきますと，自分の脳のはたらきがますますはっきりとわかるようになり，その結果，体全体が影響されます。初めのうちは熟練した案内役が必要ですが，練習が日常の一部になってきたら，自分のゴールに向かって自分で練習を続けられるようになるでしょう。

# 視覚の方向づけ

　適切に視覚を方向づけること（私はこれを今も発達させ続けています）によって，目と視神経と脳幹が自由になり，視覚システム全体の内部において，情報も自由に行き来するようになります。適切に視覚を方向づけることは，広がりすぎ型・収縮型上部視覚野の両者にとって不可欠なことです。考えの方向づけによって，この作業が機能するのです。具体的な方向づけの方法は，上部視覚野のタイプによって異なります。

　これらの方向づけは，視覚システムの構造——とくに目の内部および外部，視覚路，脳の関係部分の構造——に根ざしたアイボディ・パターンに基づいてなされます。

　収縮型における視覚の方向づけを例にとってみると，この場合はまず網膜内にある周辺空間にはたらきかけることを考えます（パノラマ視）。次いで角膜の層が網膜を包みこんでいることを思い，ガラス体が網膜にくっつくことを意図します。このプロセスを学習するには繰り返しが必要です。反復することによって新たに脳に通路がつくられます。いったん視覚システムの各部が刺激されると，次にはそこに意識的奥行き知覚をつけ加え，各部分が統合され，全体として機能するようにします。

　意識的奥行き知覚こそが根幹をなす要素であり，視覚システムの第一次協調をおこない，それ自身が視覚の方向づけもおこないます。これこそが視力，視覚路，神経組織，体，さらには三つの脳を同時に変化させるものであり，微細な霊的レベルと全体的見通しをより高めもします。視覚の方向づけは視覚システムの緊張をほぐすために不可欠であり，新たにアイボディ協調をうながすものなのです。このように，特定の視覚の方向づけと，意識的奥

行き知覚によって，視覚システムとその多重的機能の再教育プロセスがかたちづくられるのです。

　ほんとうに変化することは大変なことです。癖というものはなかなか変えられません。禁煙してはまた吸いはじめ，体重を減らしてはまた増やす，おなじみの前屈姿勢に落ち込むといったことをみんなしてしまいます。脳の新しい通路が刺激されていなければ，本人がいくら変化を求めているとしても，体は相変わらず古いメッセージを受け取り続けてしまいます。古い神経通路を歩き続けているかぎり，何も変わりはしないのです。自分が視覚システムのどこにいるのかに気づくようになり，また自分の意識に方向づけをあたえ，意識的奥行き知覚を用いられるようになることを学習すれば，初めて根本的な変化が可能になります。

## メガネとコンタクトレンズに副作用はあるのか

　メガネをかければ，近視，老眼，遠視，乱視のいずれの場合でも，はっきりした映像をつくり出す助けになります。しかしそこには広範囲にわたる副作用もあります。すでに触れたように，レンズというのは光線が中心窩にきちんと当たるように設計されているため，下部視覚野にある脳の 10 パーセントだけが絶え間なく集中的に刺激を受け，明確な像を結んでいるのです。大きな副作用とは，10 パーセントの光受容器だけが活動し，残り 95 パーセントが休眠状態にあるということです。残りの網膜が刺激されないのです。ですから網膜が刺激されていないのと同じように，視覚野のほかの部分も刺激を受けず，活動していません。脳の大部分が情報と刺激に飢えているのです。

　メガネやコンタクトレンズを装着すると，ある種の考えと見方のパターンがつくり出されてしまい，そのパターンが記憶と視覚作用に影響をおよぼすことになります。これによって周辺頭蓋骨の骨格全体を微妙に収縮させてしまいます。メガネをかけることによって頭痛がやわらぐこともありますが，頭痛を起こすパターンは私たちが気づかないところで存在し続けるのです。

目の専門家たちのあいだで増えている傾向として，右目と左目とで異なった種類のレンズ——一方は近くを，もう一方は遠くを見るためのレンズ——を処方するということがあります。そうすることによって読書用メガネであるとか遠近両用メガネといったものが不要になるというのです。左右で異なるレンズを使用すると，両目の視覚路がそれぞれ異なった作用をしてしまい，脳の機能がアンバランスになり，視覚路と体を左右非対称にしてしまいます。また，下部視覚野が情報のつじつま合わせをしようとしてものすごい努力をすることになってしまい，その結果として頭がとても混乱してしまいます。これと同じことが，片目は近くを見えるようにし，もう片目を遠くが見えやすくするという屈折矯正手術を受けたときにも起こります。

　自動車を運転するときにも，メガネやコンタクトレンズは助けになると同時に妨げにもなります。それは周辺視野が減退させられてしまい，よく見えている部分だけに注意が向いてしまうからです。スポーツをしていても，メガネは協調された動作をする妨げになりやすいのです。メガネだけでなくコンタクトレンズも，他者との有意義で気がおけないコミュニケーションをさまたげる障害になり得ます。というのは，自分の前にあるものを自然に見た

図 5-1　「本当にメガネが必要なのかしら？」

り，自分自身が見られたりすることが制限されてしまうからです。

## 金曜午後のメガネ

　この1週間は大変でした。腰が痛み，首もこわばってしまっていて，みじめな気分です。同僚が病気になったので，自分がこなせる以上の仕事をしなくてはならず，子どもも私の手にあまり，妻には庭仕事を頼まれ，天気も湿りがちでものうげな気分なのです。目の前がぼやけてしまっていることは言うまでもないでしょう。それやこれやで私は金曜日の午後遅く，検眼士の予約をとりました。急いで向かったものの結局は遅刻してしまいましたが，とにかくたどりついたのでした。当然のことながら，再びはっきり見えるようになるためにはメガネが必要で，ぴったりのものを作ってもらうことにしました。すると，どういうわけか週末にかけて状況が変わりはじめたのです。天候が良くなって突然春になり，美しく陽気でさわやかになったのです。庭仕事も実に面白く楽しくなり，私の気分もずっと良くなり，気分も高揚し，首と腰が痛むこともなくなりました。同僚が月曜日には戻ってくるから1日休んでもいいという上司からの連絡が入り，子どもたちはパパが傍にいられるというのでとても上機嫌です。こうして何から何までストレスが減ってしまったのでした。私は言われたとおりにメガネを毎日かけるようにしています。そうすれば脳もメガネに慣れてくるでしょうと言われましたが，確かにそのようです。しかしどうやらストレスも減ってきたようで，メガネをかける必要もなくなってしまいました。

　メガネの問題点は，パノラマ視しようとする意図をすべて圧倒してしまうことです。メガネが焦点を合わせてくれるので，私たちは自分で焦点を合わせるという生来の能力を失ってしまうのです。使わないでいるものは，なくしてしまいます。しばしば処方されるレンズの度はどんどん強くなっていきます。そうやって私たちは脳と目を繊細に使う能力を失ってしまうのです。副作用によって体はこわばり，目は疲れ，明快に考える能力も下がってしまうでしょう。それは問題の根本に対処しないからです。

# 屈折矯正手術

　近年，レーザーによる屈折矯正手術（レーシック手術）がさかんにおこなわれています。しかし長期的に見て，目，脳，体，感情に対する影響はないのでしょうか。レーザーでの手術について，「数分ですむし，健康保険がきく（編集部注　日本では対象外）からただみたいなもんさ」「メガネなしでもはっきり見えるようになるし，時間もかからないよ」とすすめる人もいます。確かにほとんどの人の場合，手術後はよりはっきりと見えるようになるでしょうし，メガネをかけなくてもすむようになります。ところが，手術後に思いどおりの結果が得られず，後遺症に悩まされている人もいるのです。現在，もっとも一般的な手術法は，角膜前部の層をめくり，二層目を〈削り取る〉ことによって最大限の光線を中心窩に到達させるというもので，ちょうどメガネをかけているのと同じような結果にします。第一層は比較的早く治癒するので角膜の第二層の〈ふた〉の役目を果たすようになります。しかし，いったん〈削り取られた〉ものはもとへ戻せません。望みどおりの結果が得られなかったとの不満を私はしばしば耳にします。手術をしたのに（度は下がりはしたけれども）メガネをかけ続けなければいけないとか，夜目がきかなくなったりとか，夜間の運転に支障をきたすようになったといった不満です。なかには日光がまぶしくてたまらなくなったと言う人もいます。

　矯正手術を受けた人の話を聞いていると，そのうちの多くが現在では読書用メガネが必要になったと言います。遠くを見るためのメガネは不要になったが，近くを見るためのメガネが必要になったそうです。こんにち，多くの人が字を読んだり，近くを見たりする必要がある仕事をしています。私の知人で50代前半のピアニストがいるのですが，彼はほとんど一日中，ピアノの前で楽譜を読んでいるそうです。その彼が近視矯正のレーザー手術を受けるということで興奮していたのですが，手術後は散歩したり人に会うのにメガネがいらなくなったのに今度は老眼になってしまい，演奏中にメガネをずっとかけなくてはならなくなりました。以前はときどきはメガネなしで演

奏していたそうです。それでも彼は〈得をした〉と感じているようですが，私から見れば良くなったとはいえず，少なくとも根本的には何も変わってないといえます。

　このように手術をしても近視が残るのは，目が後ろのほうに長く伸び，前方においては収縮しているからです。視覚野は依然，収縮したまま残ります。その結果，視覚システムの残りの部分は依然として収縮したままです。何が起こったのかというと，メガネでもって外部から目の形状を補正するかわりに，角膜がもとに戻せない方法で変形されてしまい，そのように固定されてしまった部分が生涯にわたって目の前部の動作を妨げかねない状態にあるということです。これがしばしば老眼を引き起こします。結膜と角膜は，首，喉，肩に関連しています。こういったわけで，レーザー手術は，長期的に見ると，胴，首，頭に身体的問題をもたらす可能性があり，機能障害を治すための手術によってさらなる問題がもたらされる可能性もあります。辺縁系と脳梁も，意に反してその影響を受けてしまい，あとになってまた異なった問題を起こすこともあります。

　将来的には，より多くの屈折矯正手術がおこなわれることになるでしょう。ほとんどの場合，手術によってはっきり見えるようになるでしょうが，全体的協調作用と視覚システムの多重的機能がしわよせされ，それが後になって脳，目，体の深刻な機能障害の原因となるかもしれません。視覚システムおよびその多重的機能の再教育がおこなわれなければ，不調の原因はただ弱められたり隠れたりするだけで，〈生き〉続けることになります。こうして事態の悪化に対する敏感さを，私たちは失いはじめるのです。

　個人的な考えを言いますと，私ならほんとうに必要なときにのみ，たとえば事故などで手術をしなければ失明してしまうといったときにだけ手術することを選ぶでしょう。そして手術後は視覚システムを再教育し，そうやって感情的トラウマに手当てをすると同時に，深いところにある習慣にもはたらきかけます。こうすれば確実に，手術後であっても，本来備わっているメカニズムの機能を再び最大限にまで高められるでしょう。

　あなたがすでに屈折矯正手術を受けていたとしても，視覚システムを再教

育することは可能です。ただ，現在よりはっきりと見えることはないでしょうが，自分の視覚システムについての気づきをうながし，全体的に協調性が良くなり健全になります。

# 緊急手術

　事故は起こります。次のような場合は失明を避けるために手術が必要になるでしょう。たとえば，網膜剥離の場合はすみやかに医学的診断を求めることがとりわけ大切であり，レーザー手術によって角膜と網膜の両方の機能を再び取り戻せることがあります。しかし手術後に，手術によって生じた緊張と収縮をほぐすことが重要であるばかりでなく，最初に網膜が剥離してしまう原因となった緊張をほぐすことが必要であり，再発を防ぐために視覚システムを再教育することが重要になります。

　事故後は，目と体が故障のある場所をかばおうとするため，バランスが崩れてしまいます。言いかえれば，事故と手術の結果，二次的な問題が発生するということです。作業のとりかかりは，意識的に脳の各部を目や体につなぎ直すことです。時間をかけてつなぎ直すことによって，目の内部にある液体の構造と機能に影響がおよぶようになります。また，体の均整がとれるようになり，健康全般と爬虫類の脳，辺縁系，新皮質の機能も改善されるようになります。また，こういった教育は，本を読んだり歩いたり食べたりといった日常活動での気づきを促進させます。

# 視覚機能障害の症例

　本書末尾のカラー図で，アイボディ・パターンとの関係をご確認ください。

## 近視——遠くがぼやけて見える場合

　近視は上部視覚野の収縮に原因があり，現代もっとも一般的な視覚障害で

す。近視の場合，通常はメガネやコンタクトレンズ，レーザー手術による処
置が講じられます。近視は幼少期もしくは10代のころに発症する傾向があ
り，21歳をすぎてから発症することはほとんどありません。

　近視は収縮型上部視覚野パターンの代表のようなものです。上部視覚野が
大脳辺縁系のほうへと収縮してしまい，それによって大脳辺縁系が爬虫類の
脳を圧迫しています。この結果，目の外側が硬直し，続いて目の前部も硬直
してしまうことになります。第三脳室が圧迫されることによって瞳孔，網
膜，脈絡膜が収縮します。網膜のうちのパノラマ視をする部分に届く光が少
なくなり，パノラマ視するための光受容器から視床へ送られる刺激も減少し
てしまいます。それによって視床がしぼんで後方および下部へと落ち込むこ
とになり，視神経もいっしょに引っ張られてしまいます。こうして眼球が縦
長になるのです。

　これにともなって対応する体の各部分，腰と消化器官が短縮したり硬直し
たりします。続いて骨盤，お尻，太もも，ひざの緊張が起こります。この場
合，椅子に腰かけるときに腰を屈め，脚を組む傾向が見られ，歩くとひざや
脚が痛むこともあります。人によっては消化器や生殖器の問題が起きること
もあります。感情面を見ると，このパターンの場合は不安や恐怖，危険を感
じるようです。こういった感情の程度は変化し，また，その感情の程度は近
視の度合いにも反映します。

　一般的にいえば，脊椎が骨盤や腰のあたりでいくぶん縮むことによって，
周辺の内臓や脚の神経が影響を受け，また脚部の循環系統も影響を受けるこ
とになります。何より大事なのは，近視のパターンが目の後部と脳内にある
視覚路の後部に見られ，さらに胴体の下部から脚部，足先にかけても見られ
るということです。

　この状態を逆転するには，爬虫類の脳とのつながりをつくり上げる必要が
あります。まずは網膜のパノラマ性に気づき，脈絡膜の層を通して水晶体に
いたり，ガラス体を通して爬虫類の脳にいたります。そのあとで，大脳辺縁
系（目の前部）と上部視覚野（目の外側）へのつながりをつくり上げること
ができます。そして意識的奥行き知覚によって，フォーカス視するために必

要な中心窩と下部視覚野を含みながら，視覚システムを統合することができるのです。

[近視の症例]

カトリンは近視で30代前半の女性でした。電話で聞いたところでは，12歳のときからメガネをかけていたそうです。彼女はメガネをかけるのが嫌になり，レーザー手術を受けることも考えましたが，どことなく抵抗があり手術を受けませんでした。メガネなどの補助器具なしで見られるようになるための，再学習の手助けを私がしているということを友人から聞いたのでした。それで彼女は興味をもち，私と会うことになりました。

カトリンと向かい合って座ったときに，まず目についたのは前屈み気味の姿勢と，重そうな組まれた脚と上半身でした。まるでメガネが彼女の重しになっているようでした。彼女のメガネの処方箋を見せてもらうと，左が3.75ジオプターで右は3.50ジオプターということでした。さらに左目には1.25ジオプターの乱視もあるということでした。

カトリンによると，ぼやけて見えはじめたのは学校にいたときで，黒板が読みにくくなったそうです。それと同時に頭痛がするようになり，腰がこわばるようになりました。ある教師が，カトリンの目が緊張しているようだから検査を受けてみたらと言ってくれたそうです。母親にともなわれて検眼士のところへ行ってみたら，近視気味であると診断されました。検眼士はメガネを処方してくれましたが，最初はメガネをかけるのが嫌でした。というのは，なんだか頭と目がにぶくなるような気がしたからだそうです。でも，だんだんとかけ慣れるようになって，毎日メガネをかけるようになりました。頭痛は良くなりましたが，腰のほうは相変わらずでした。それからまもなく，より強い度のメガネが必要になりました。

カトリンは乱視がいつ始まったのかを覚えていませんでした。少しずつ乱視になっていったのでしょう，と彼女は言いました。高校のころにはメガネがとても気になり，嫌でした。とくにデートのときはかけたくなかったそうです。その後，コンタクトレンズを使用するようになりましたが，何年かたつと目に痛みを覚えるようになり，メガネに戻しました。

カトリンは今は結婚しており，二人目の子どもを産んだあと，とても疲れを覚え，目が悪くなってしまったと言いました。しかし数カ月後には，メガネをかければ以前と同じように見えるようになったそうです。

　私は体についてたずねてみました。すると，いつも腰痛に悩まされていると彼女は答えました。彼女は痛みをとるために，ときどきカイロプラクティックやオステオパシー，理学療法などを受けていました。しかし問題解決にはいたらず，疲れたりストレスにさらされると痛みがぶり返していました。最近は背中にも問題を抱えるようになり，自分の呼吸が浅くなってきたことに気づいたそうです。また，脚の重みを感じるとも訴えました。ランニングに熱中するあまり，両ひざを痛めたこともあるそうです。しかし，それ以外は問題はなく，健康であると感じていました。

　体の左右で何か違いを感じるかとたずねてみると，いつも左側のほうが右側よりも硬いと感じていて，左肩に違和感があると彼女は言いました。しかし，ちょっとした痛みは無視して長年過ごしてきたそうです。
彼女は子育てをしながら，とある大企業のための人材管理の仕事もしていました。職場での勤務時間中は，コンピュータを使っての管理業務や，電話で会話したり，グループにレクチャーしたり個人の相談といったことをしていました。

　彼女はときどきストレス，欲求不満，怒りを感じ，感情のジェットコースターに乗っているみたいな気がすると話しました。家庭と仕事と自分のやりたいこととのやりくりが，どうにもつかなくなる気がするとのことでした。夫のサポートは感じているものの，お互いの生活に少し隔たりが出てしまっていました。これについてはそれほど気にしていないようでしたが，しかし頭の片隅にひっかかってはいるようでした。

　不安はつねに彼女の人生の一部でした。毎日それに気づいていたわけではありませんが，学校の試験の前や人と会う前には，うまくできるかしら，失敗しないかしらと，心配でたまらなくなるのでした。彼女は人生のあらゆる領域で完璧を目指していたのです。

　最初のセッションでは，網膜とガラス体を感じられるようになる取り組み

を私たちはしました。そのおかげで彼女の腰の不快感がやわらぎ，安心感も強められました。

　彼女は朝から晩までメガネをかけっぱなしにしなくてもいいことに気づき，家にいるあいだはメガネなしで過ごしはじめました。ものがぼやけて見えるものの，数日後にはそれでもかまわないと感じるようになり，何もかもをはっきりと見る必要はないということがわかったと彼女は言いました。必要なことができる程度に見えればいいのであって，それで料理もできるし，テレビも（以前より少し近づけば）見られるし，音楽も聞けるし，庭の手入れをするのにも差し支えはないと感じたのでした。

　私たちはカトリンの視神経のつながり，つまり彼女の目と脳をつなぐ幹線道路を築きながらレッスンを続けました。彼女は自分の視神経に触れる感覚をつかみ，脳幹がより自由に前そして上へと動くようになりました。彼女はランニングでの走りも良くなっていることに気づきました。彼女は「いつもの距離を走っていても，ここ２回は息も上がらなくてもっと長く走れるような気がしました。走っているときには，自分の視神経がもっと上向きになって脳幹に沿うようになっているということを考えていて，そうしたら自分の脚がずっと軽くて楽に動くように感じられました」と言い，さらに「すると頭も軽くなって見え方もはっきりとなったんですが，何よりも走ったあとに疲れがぜんぜん残っていませんでした」と言いました。

　これで次の段階への準備が整いました。彼女の目を，上向きの視神経を通じて脳幹の後部につなげ，そこから視床と大脳辺縁系を通って上部視覚野にいたるように私は彼女を案内しました。頭蓋骨後方にある上部視覚野から，視覚路全体を視覚化することによって，カトリンは視覚システム全体を統合に向けました。次いで私たちは意識的奥行き知覚にとりかかりましたが，これには多少の練習が必要で，料理中やコンピュータの操作中に意識的奥行き知覚を使うようにするというような宿題をカトリンにあたえました。カトリンはすぐに意識的奥行き知覚がいろいろなことに応用できることに気づき，自分の変化にも気づくようになりました。

　彼女は自分のプレゼンテーションの方法も新しくなっていることにも気づ

きました。プレゼンテーション中，その場にもっと〈合う〉ように存在していて，より聴衆を〈ひきつけておける〉ようになりました。これと同様に夫との関係の質にも変化があらわれ，彼女がずっと融通がきくようになったと夫も気づきました。また彼女には早く走れるようになったことも驚きだったのですが，走る速度が上がったのにいろいろな形や色が目に入るようになり，ますます周囲がはっきりと見えるようになったことにも驚きました。

　こうしてカトリンは見るということの原理を理解し，その技術を日常生活に適用できるようになり，視覚システムや体の緊張をほぐせるようになったため，レッスンに通ってくる回数も次第に減りはじめました。そして彼女はもうメガネをかけていません。

**老眼**——新聞を遠く離して読むのに自分の腕の長さが足りなくなった場合

　視覚がぼやけていることに最初に気づくのは，たいてい暗いところで何かを読んでいるときです。これがだんだんとひどくなると，凝視しすぎるようになり，やがてはそれが癖になります。

　いわゆる老眼は，40代から始まるとされています。従来の考えでは，水晶体周辺にある毛様体の筋力が衰えて調節がうまくいかなくなり，そのために近くのものがぼやけて見えるようになってしまうとされていました。私の見解では，調節能力が低下するのは視覚システムの一次機能が衰え，上部視覚野のタイプによって，毛様体が狭まったり広がりすぎたりするために起きるのです。これは直接的に水晶体の光線に対するフォーカス能力に影響します。水晶体は生涯を通じて成長し続け，水晶体とその内部にある水晶体液は絶えず動き続けています。これらの可動性が失われてしまうのは加齢によるもので避けられないと考えられていますが，そうではないのです。老眼は，上部視覚野が収縮型であっても広がりすぎ型であっても，いずれのタイプにも起こるものです。収縮型の場合は，目の前部が硬直してしまうために水晶体と内部の水晶体液が圧縮されてしまいます。広がりすぎ型の場合，目の前部と水晶体が広がりすぎてしまい，強く引っ張られるために目の前部が緊張してしまいます。視覚路全体の協調がおろそかにされると，目の個々の部分

が機能不全を起こします。そうすると負荷がかかりすぎる部分や，負担がほとんどない部分が出てしまい，やがては視覚システムが疲労してしまいます。

　こうなるとたいていの場合，眼科に行ってメガネを処方してもらうか，出来合いのメガネでもって近くが見られるようにするしかありません。その結果，知らず知らずのうちに，脳がメガネを通して見ることに慣れてしまい，メガネの必要性がどんどん強くなってしまいます。メガネへの依存が強まると，見るという行為における脳全体のはたらきがどんどん減ってしまうのです。

　私の経験によると，水晶体は横隔膜と関係しています。水晶体の周囲にある各部（ガラス体，毛様体突起とそれに付随してある小さな筋肉，眼房水，角膜）が自由に動けなくなると，水晶体の微妙な動きが維持できなくなり，内部の液体がよどんでしまいます。また，老眼になると呼吸の問題が起きる傾向があり，身体的には背中が曲がって胸が屈まってしまったり（収縮型上部視覚野の場合），胸を硬く反らせすぎてしまう（広がりすぎ型上部視覚野の場合）といった傾向が見られます。

　全体的に見ると，老眼は外界とのつながりをもつ能力と大いにかかわっています。水晶体の機能が低下することによって，自分の世界と外部環境とのあいだに，ある種の壁ができてしまうのです。ということで，40歳をすぎたら自分の見方を考え直すチャンスだといえるかもしれません。

　［老眼の症例］

　ジェームズは私の主催する6日間の合宿に参加した一人です。最初の夜の自己紹介で，彼は新聞を読むのに自分の腕の長さが足りなくなってしまったという話を披露してくれました。彼の話はユーモアたっぷりで，輪になって話を聞いていた人たちも，みんなそのとおりだと言わんばかりにうなずきながら話を聞き，大笑いしました。ジェームズはまた，いかに多くの友だちがレストランに入ってメニューをテーブルに置かれたとたんにメガネを取り出すかということや，電話帳で番号を調べるときにもメガネが必要であるといったことを話してくれました。とくに数字の「6」と「8」と「9」の見分

けがまったくつかず，どうにもならないと彼は言いました。私が彼に，彼の体と癖について聞いてみたら，以前よりも胸が前屈みになっているのに気づいた奥さんに，ときどき体を引っ張り上げられることがあると話してくれました。彼は40代半ばで，おおよそ自分は健康で普通であると感じていましたが，近年になって呼吸機能に衰えが見られるようになってきたそうです。ジムで運動したときに息切れすることが多くなったことに気づいているということでした。しかし，彼がわずらわしいと思うのはただ一つ，メガネをかけなければいけないということだったのです。

　1年ほどはメガネをかけずにがんばってきましたが，それもついにあきらめて，今ではいつでも手にとれるように戦略的にあちこちにいくつものメガネを配置しているのだそうです。自宅では各電話機，コンピュータの傍ら，そして車のダッシュボードにも配置し，さらには職場にも備えてあるのだそうです。最初の二つはドラッグストアで買ったもので，残りはスーパーで買ったといいます。メガネの備えは万全だと思っていたのですが，こんなにメガネに包囲されていて，しかもそれに頼りきりになっているなんて馬鹿馬鹿しいと彼は言い，大きく笑ってみせました。彼は視力の問題を解決する，もっと自然な方法があるにちがいないと考え，このワークショップに来たのでした。

　ジェームズの場合は上部視覚野が収縮型で，何よりもまず彼は上部視覚野を使うことを学習する必要があるということは明確でした。彼はあまりに目を〈前のほう〉に行かせすぎていたため，脳が適切に機能していませんでした。グループの全員に自分の視覚システムを発見するという基本を教えていたら，よりはっきりと見る能力が高められていくことにジェームズは気づいたのでした。色彩があざやかになり，輪郭もくっきりとするようになったのです。彼はだんだんと意識的奥行き知覚を遠方の対象物にも応用できるようになりました。そして目の前部の課題にとりかかるようになると，目の内部の自在さと敏感さが欠けているということに彼は気づいたのでした。ガラス体がとくに水晶体を圧迫してしまっており，内部の液体がほとんど流れずよどんでしまっていたのです。彼はいかに自分が自分の体を前屈みにしてし

まっているかということを感じるようになりました。そうして自分の目の前部を解放することによって上胸部と首と頭がずっと楽に動くようになり，頭と首と肩を動かしながら見ることが，いかに快適かということにも彼は気づいたのでした。

　これらの新しい技術を応用したあと，私たちはいよいよ読む作業にとりかかりました。私は一人ひとりに，行ごとに異なった大きさの活字を並べてある紙を渡しました。ジェームズをはじめとしてグループの全員に，目を緊張させずに読めるのはどの行かと聞いてみました。そこで強調したのは，すべての活字をはっきりと読み取ろうとするのではなく，視覚システムにおいて新たに身につけた技術を用いなさいということでした。ジェームズにはとくにパノラマ視をすることが大切であり，そうすれば彼の目を（前と後ろで）広げられるでしょうと私は言ったのでした。しばらく練習していると，彼は「6」と「8」と「9」を小さな活字でも見分けられるようになり，さらに3行分サイズが小さい活字でも見分けられるようになりました。後に彼が語ってくれたのは，そのとき突然に黒い活字と数字が白い紙を背景にして立ち上がったということでした。

　ジェームズの課題は，この新たに身につけた見方を徐々に育てていくことでした。彼は毎日少しずつ練習し，とうとうメガネをかけるという習慣と手を切ることができたのでした。彼は自力で見ることに自信をつけていきました。それと同じくして，彼の姿勢（とくに腰と背中の）はずっと均整が良くなり，目の前部の緊張がとれるにつれて呼吸も改善されました。ワークショップを終えたときにジェームズが，年齢に関係なくメガネはいらない，と言ったとおりでした。

　ワークショップを終えたあとも，ジェームズは引き続き私の個人レッスンを受け続けました。それによって彼は自分の経験を深めることになり，より自信をもって新しい技術を応用することができました。疲れきってしまったときに，もう少し良く見えるようにするため，また網膜のパノラマ機能の練習のために，彼はピンホール・メガネを購入しました。私は老眼の方にこのピンホール・メガネをおすすめすることがよくありますが，とくにメガネを

やめる過渡期の方であるとか，パノラマ視をうながしてはっきりと見たい方にはおすすめです。

　進歩の過程と速度は人によって異なりますし，また目標もそれぞれに異なるものです。メガネを使う回数が少し減ればいいという方もいますし，日常生活に原理を応用して大きな成果をあげたいという方もいます。私がここで言っておきたいのは，誰でもできるということです。ただし，それには若干の指導と，練習し続け学習し続けるという意欲が必要です。

## 遠視──実物よりも大きく見える場合

　この視覚障害は通常，幼少時からあらわれます。その割合は近視よりもずっと少なく，遠視（幼少期からのもの）は上部視覚野が広がりすぎであることと関係があります。つまり，眼球の幅が広がりすぎてしまっているのです。中心窩が光線によって刺激を受けすぎてしまい，近くのものを見るとぼやけてしまいます。

　胴体上部全体が横に広がる傾向があるため前後のスペースに余裕がなく，そのために心臓と肺が硬くなっている場合が多く見られます。広がりすぎ型上部視覚野と遠視の性格的特徴に類似性があることに気づかれるかもしれませんが，注意していただきたいのは，広がりすぎ型上部視覚野の持ち主が必ずしも遠視であるとはかぎらないということです。

　意外に多くの音楽家，歌手，ダンサー，デザイナー，世界的指導者，起業家といった人たちがこのカテゴリーに属しています。こういった人びとはさまざまな創造的才能を有しており，至近距離におけるつながりの悪さをやりくりするための方法を考えだして，自分の傷つきやすさに仮面をかぶせています。遠視の人の目を通して見てみると，あらゆるものがとてつもなく大きく見えます。これは〈巨大な〉内面イメージを遠視の人がもっているということにもあらわれています。

　遠視の場合，視覚野が広がりすぎていて幅も広がっています。そのために眼球自体も幅広になってしまっており，とくに前に来るにしたがって広がり具合が激しくなります。視覚システムに入ってみると，前に行くほど何もか

もが広がってしまっているのです。目の前部は外部環境と関係しています。ガラス体がさらに水晶体を押しつけていて，内部の圧力を高めています。これを身体的に見てみると，肝臓と膵臓が影響を受けるので，その結果，欲求不満や怒りが生じやすいのです。

　一般的に遠視の人に必要なのは中心とつながるということで，それによって自分自身の視覚路と脳をまとめることができるようになります。遠視の人にそういったプロセスを指導することによって，驚くべき変化が可能であることを私は発見しました。内部をつなげると，実際に〈頭蓋骨に収まる〉脳のサイズを認識できるようなのです。つながる感覚が安らぎと気楽さをもたらし，もっと楽に自分自身の目や体のなかで生きていけばいいのだという気持ちにさせてくれるのです。過度に拡張してしまっていた辺縁系そのものが自らを統合する方法とつなげる方法を見つければ，ものごとが近寄ってきたときに覚える恐怖感も減少します。こういった視覚のワークが目の前部を柔軟にし，そのおかげで近くの対象物をよりはっきりと知覚できるようになり，人間関係もより快適で楽なものになるのです。

[遠視の症例]

　アイリーンは長身でブロンドの60代のデザイナーで，私が主催するセミナーに参加してきました。列の後ろに座っていた彼女は自己紹介で，自分は3歳からメガネをかけていたけれど思春期にはかけなくなり，それ以来ずっとかけずに過ごしていると話してくれました。彼女ははっきりとしたしゃべり方をし，とても自信に満ちあふれており，視覚や色彩についていつも魅惑されてきたとも言いました。彼女はそのセミナーにはパートナーといっしょに参加していて，二人とも自分でできることを学ぶことに興味があるようでした。

　1日が過ぎたばかりなのに，彼女はこんなコメントをしました。「いつでも自分ははっきり見えていたのだけれど，ほんとうに見えている情報を脳が目一杯に受け取ってはいなかったのだということがわかりました」。そして彼女は「それが理由で私はここに来たのだわ。私の脳から見ることを学習するためにね。そしたら目は疲れて緊張するかわりにゆるんでいられる。とく

に細かいデザインの仕事をするときにね」と言ったのでした。

　彼女はパートナーに対して，ときにぶっきらぼうになり短気を起こしたりしました。アイリーンは何であれ自分に接近しすぎることに対していらいらするそうで，「自分がときどきはっきりと言いすぎるというのはわかっているし，それが原因で人を遠ざけるの。でも，そんなつもりはまったくないの」と言いました。それからアイリーンは，何を見てもとても大きく見え，それに圧倒されそうだから自分には防御壁のようなものが必要な気がするということも言いました。そして，「とくに誰かが近くに立っているときにその人がとても大きく見えるの。すると圧倒されそうな気がして当たり散らしてしまうんです。若いころから，人があまり近くにいないほうが気が楽だってことには気づいていました。それで今でも距離を置いたほうが安心だし，人もあまり私に近づいてこないようにしているんです」とも話してくれました。パートナーの男性も，そうやっていつもきつく当たられるのは自分なので，あまりいい気分はしていなかったそうです。状況によってはこういうやり方でもって自分を守ってもいいだろうけれど，しかしいつもそれでいいわけではなく，ましてや相手ともっと親密になりたいと思ったとき，それはふさわしくないということに彼女は気づいたのでした。

　私たちは広がりすぎを調節し，上部視覚野内に収まるようにする作業から始めました。この作業によって，彼女は周りのものがずっと小さくて扱いやすく感じられるようになりました。しばらくすると，ほかの人たちが以前よりずっと楽にアイリーンの空間にいられるようになったと言い，彼女自身も自分の空間にずっと楽にいられると感じるようになりました。いらいらすることも少なくなり，忍耐強くなり，人と近づいて付き合うことも楽しむようになりました。彼女のパートナーはこれに感激しました。アイリーンたち二人は感情的，身体的，知的に自分たちを助けてくれたこの道具を，6日間のワークショップで手に入れ，持ち帰ったのでした。

### 乱視——月が二つに見える場合

　乱視の原因は，角膜の湾曲の具合がいびつなことにあります。角膜の三つ

の層が均等に重なっておらず，歪んでしまっているのです。そのために，たとえば空に月が二つあるように見えたりするなど，ものが二重に見えてしまうのです。

　乱視は上部視覚野の両方のタイプに起きます。角膜は脳梁と直接に関係があります。収縮型上部視覚野の乱視の場合は，脳梁が圧迫されて凹状になってしまっており，また広がりすぎ型上部視覚野の場合は，脳梁が引っ張られてしまって凸型になっています。角膜の形状は，どちらの場合も脳梁とは逆の方向へ向かって形を変えます。

　角膜に対応する体の部位は，肩を含めた上肢帯になります。収縮型の場合は，肩に痛みが出たり，背中が縮こまっていたりします。広がりすぎ型では肩が広がりすぎるため，首や喉に不快感や硬直感が出ます。

　第一次協調作用を応用したあとで，目の前部と外側を含めることが必要です。これにより，角膜が周りにある液体や構造物によって支えられるようになり，脳とのつながりが適切になることによって，角膜の湾曲具合が変わるのです。

[乱視の症例]

　25歳のサマンサは私のワークショップに何度も参加していました。彼女はとても優れた技術の持ち主で，聡明な女性でした。彼女は軽度の近視でしたが，1番の問題は両目に3ジオプターの乱視があるということでした。彼女が最初にグループのなかで発言したとき，私は彼女には自己防衛の気持ちがあるなと気づきました。

　その後の何日間かに彼女が話してくれたのは，他人の前で自分が無防備に感じるということでした。メガネを自分を守るための道具としてかけ，人を寄せつけないようにしていると彼女は感じていました。私たちはガラス体とつながる作業にとりかかりました。彼女の内面に安心感をあたえられるようにするのと同時に，内側から眼球を拡張できるようにするためです。すると彼女はすぐに，乱視が周りから自分を守る〈楯〉の役割を果たしていたことに気づいたのでした。また，胴体上部が奥行きを失っており，肩甲骨も張り出してしまっていることにも気づきました。また肩甲骨が下から胴体に支え

られていないということを発見したのです。肩がこわばっていて，しばしば首と肩が緊張してしまっているという不満を彼女はもらしました。彼女は定期的にカイロプラクティックの施術を受けており，施術後しばらくは楽になるものの肩に痛みとこわばりをつねに感じていました。

　ガラス体が眼球内に新たな居場所を見出すための繊細な能力を新たに身につけ，さらに視神経を通っていく作業を通じて，彼女は視覚システムの後ろのほうに非常に大きな安定感があることを感じたのでした。上部視覚野をイメージして，そして見るというプロセスそのものが上部視覚野から始まるのだということを認めることによって，私たちはこの広がっていく感覚を少しずつ前へ前へと広げていきました。こうすることによって目の前部にある液体──眼房水──が影響され，彼女の角膜の層を支えるようになったのです。

　その後の個人レッスンでは，さらに多量の眼房水が瞳孔を通るようになり，目の前部全体，とくに角膜が，眼房水に支えられるようになりました。彼女が気づいた主な変化は，自分の姿勢が変わったということと，肩が楽になったことでした。彼女の胴体上部全体が次第に「満たされる」ようになり，肩を楽に支えるようになったのです。もう一つサマンサが感じたことは，自分の免疫系が強くなり，冬になっても風邪をうつされる回数が減ったということでした。

　それとは別のレベルでは，内面の安心感がより強まり，また他人が近寄ってくることも許せるようになり，それによって安心感を失うということもなくなってきました。彼女はそれほど自分自身を守る必要がなくなったので，より広い領域を他人に許容できるようになり，自然な境界線を自分と周囲とのあいだに引けるようになりました。彼女の乱視は，最初は良くなったり悪くなったりしましたが，次第に良くなっていき，ついにはメガネをかけなくてもいいというところに落ち着きました。こうして彼女は「二つの月」を見ることはなくなったのです。

## 緑内障——人生の重荷

　眼房水の分泌と排出のバランスが崩れたときに起きるのが緑内障です。バランスが崩れることによって眼球に圧力がかかることになり，そのために視神経がダメージを受けます。バランスが崩れているときには，視神経円板が広がり，眼房水の排出口であるシュレム管が狭くなるか硬くなりすぎています。広がった視神経円板は脈絡膜突起を圧迫し，同部の血流に影響をおよぼし，そのために目の前方に向かって全体的に硬直するようになり，とくに鋸状縁と瞳孔が硬直します。シュレム管はつねにこの影響を受けることになり，眼房水が管から出にくくなってしまい，シュレム管内部の圧力が高まってしまいます。

　上部視覚野のタイプ（緑内障はどちらのタイプでも起こります）によって，開放性緑内障（広がりすぎ型上部視覚野）もしくは閉塞隅角緑内障（収縮型上部視覚野）のいずれかになります。

　第一次協調作用を確立したあと，緑内障の人は視覚路を，辺縁系を通して目の前部とつなげる必要があり，とくにシュレム管，視神経，視神経円板，網膜，脈絡膜とつなげて視床を活性化させます。

### ［緑内障の症例］

　パトリックは緑内障と診断され，私にセカンド・オピニオン（主治医以外の意見）を聞きにきました。彼を診察した眼科医は，点眼薬をすみやかに使用して眼内圧を減らすべきだと提案しました。パトリックは，点眼薬を使いながら残りの人生を過ごすという考えが気に入りませんでした。彼は，表面化した症状にではなく原因に取り組みたかったのです。

　私たちが作業に取り組みはじめて明らかになったのは，彼が人生に何となく欲求不満を感じていたということでした。彼は会計士として働き成功をし，会計事務所の共同経営者にまで登りつめていました。彼は50歳で，定年まで会計士としてやっていくつもりはありませんでした。彼は絵画や彫刻といった芸術に情熱を抱いており，実は美術を勉強するか会計士の勉強をするかで迷ったこともあったのでしたが，経済的安定のために会計士を選んだ

のでした。私たちがアイボディに取り組んだ数カ月のあいだ，彼は会計士の職業にとどまることに対してますます懐疑的になりました。

　私の経験として彼に語ったことは，緑内障の場合には，しばしば人生において全然違うことをしたいとか，違うふうになりたいといった内的要求があるということでした。ここから目の前部での圧力が高まり，外界との関係に反映されます。

　パトリックの体は緑内障と上部視覚野広がりすぎの代表的なものでした。心臓と胸がとても硬くなっていました。これはシュレム管の閉塞としてあらわれ，眼房水の自由な動きが抑えられ，液体が溜め込まれて過剰な圧力が生じます。

　パトリックはものごとに打ち込むタイプの人間でした。何をするにしても全身全霊で取り組み，完全になしとげるのです。彼の生きがいの大部分は仕事でした。私は２年間にわたり彼のプロセスをサポートし，最終的に彼は共同経営者の立場を降りることを決意しました。

　彼は美術学校に通い，休日に会計士として働くようにしたのです。彼は自分が自由になったと感じました。ときにはつらいこともありましたが，彼はより満たされ，自分で変化できたことを喜んでいました。それ以来，眼圧が安定するようになりました。定期的に専門医の検診を受けてはいますが，ここ数年間，彼の眼圧は点眼薬なしでも正常の範囲を保っています。また，胸部や背中，脚部に対する気づきも劇的に変化し，以前よりもずっと楽に立てるようにもなりました。

### 白内障——遠くも近くもだんだんぼやけて見えるようになる

　白内障は年齢にかかわらず起きますが，60歳を過ぎてからなることが多いようです。白内障の原因は，手術の後遺症であったり薬の副作用であったりします。水晶体液の石灰沈着が徐々に進むことによって，遠くであっても近くであってもぼやけて見えるようになってしまいます。しかし水晶体は生涯を通じて成長し続けるものであり，水晶体と水晶体液の内部では絶え間ない動きが続いているものですから，白内障にまで進行する〈必然性〉は，あ

ると考える人がいるにもかかわらず，実はないのです。

　石灰沈着した水晶体は割合に短時間の手術で取り除くことができ，そこに屈折レンズが挿入されます。これは言いかえると，本来は外側にかけるべきメガネを目の内部に装着するということであり，就寝時にも取り外せないという不便さをともなうことになります。

　水晶体液の石灰沈着は，間脳の収縮と直接関係しています。間脳が収縮してしまうのは，上部視覚野がしぼんでしまったり（収縮型の場合），広がりすぎている（広がりすぎ型の場合）からです。

　これをアイボディの観点から見ると，水晶体は横隔膜と関係しています。水晶体というのは，内部構造と外部環境とが出会うところでもあります。手術を受けることを決心するにしても，石灰沈着を起こすにいたらしめた内在的な習慣を見極め，その原因に少しずつはたらきかけることが不可欠です。ありがちな問題としてあげられるのは，白内障が除去されてはっきり見えるようになったとたん，内側から目を自由にしようという決意が失せてしまいがちだということです。

　あらゆる機能不全と同様に，第一次協調作用を確立することが白内障のパターンを取り除くための第一歩になります。そのためには目の前方部分と網膜とガラス体が刺激される必要があり，それによって水晶体液に栄養分が維持されることになり石灰沈着が解消されます。この際に主要な役割を果たすのが爬虫類の脳と辺縁系であり，また，松果体と脳下垂体も効率的に機能しなくてはなりません。白内障の手術を受けたとしても，長期的健康を保ち目を最適に機能させるためには，第一次協調作用を確立し再発を防ぐことが不可欠です。

### ［白内障の症例］

　ジェーンが60代後半のころ，私は彼女といっしょにアイボディにとりかかりました。彼女は両目に白内障を抱えており，除去手術を受けました。手術そのものは成功したのですが，近くが見えにくく，さらに光に対してたいへんに過敏になってしまい，夜目がきかなくなってしまいました。白内障の手術から数カ月が経っても，彼女は怒りっぽく自分が取り戻せないままでい

ました。彼女の自尊心は損なわれていて，自分自身を見失ってしまっていたのです。

　私は彼女に，手術を受けてから呼吸について気づいたことがありませんかとたずねました。すると彼女は，子どものころは喘息だったが10代後半になって良くなったと答えました。運動をするといつも息苦しかったので，運動することは早い段階であきらめてしまっていたそうです。彼女は白内障になってから呼吸する際に息を吸ったり吐いたりする量が減った気がしていたそうですが，それは加齢にともなうもので仕方がないことだと考えていました。

　私は彼女に水晶体と横隔膜の関係について説明しました。彼女の目の前方部分全体は，極度に硬直していました。目の前部を硬くする昔からの癖があるため，眼房水，ガラス体液，水晶体液が正常に機能しなくなっていたのです。そこでジェーンは網膜と脈絡膜とガラス体をより完全に，より効果的に使えるようにするための学習をしました。そうして彼女は自分の体全体が変わりはじめたことに気づくようになり，動きやすくなり，上半身からお尻にかけて下に押さえつける傾向も減少したのでした。次いで私たちは彼女の視神経にとりかかりました。そのおかげで，それまでよりもっとまっすぐに立てるようになりました。

　上部視覚野からつなげる練習をしたあと，私たちは爬虫類の脳と辺縁系を経由して目の前部へとつなげる作業に取り組みました。だんだんと目の前部の液体と構造をゆるめられるようになると，手術で挿入されたプラスチック・レンズをより自由に動かせるようになりました。何カ月かすると，彼女は昼でも夜でもずっと楽にものを見ることができるようになりました。彼女の呼吸はめざましく改善され，屈みこんでいた姿勢もまっすぐに変わったのでした。

### 斜視——私を見ているのはどっちの目？

　ほんとうはどっちの目で私を見ているの？　斜視の子どもに親がこんな質問をすることがあります。たいていの場合，結局は子どもが眼科医に連れて

いかれ，そこで眼帯をすすめられます。それがうまくいかないときは〈目がまっすぐ〉になるように目の外側の筋肉を手術します。斜視になっても目のほかの機能に不具合は起きることはなく，はっきりと見えます。斜視で問題になるのはもっぱら外見なのです。

　上部視覚野のどちらのタイプにも斜視は起こりますが，広がりすぎ型の場合に起こることが多いようです。片目だけが外向きになったり内向きになったりすることもありますし，それが両目に起こることもあり，片目が上向きでもう片方が少し下向きになるということもあります。目の向きの組み合わせには，あらゆる可能性があります。その原因は，第三脳室の近くにある視床内部での融像（左右それぞれの画像が融け合って一つになること）が欠如していることにあります。とくに遠視の場合には，視床の両側が広がりすぎています。それがもとで，視床から発して視神経と視交叉を経由し目そのものにいたる協調が，不足してしまうのです。目の外側にある六つの筋肉は視神経の外の鞘につながっていて，それが硬くなることによって目の向きが変わるのです。

　目の外側にある筋肉を変える必要はありません。そのかわり，上部視覚野のはたらきを回復させる方法を学習するようにします。そうすると辺縁系と視床が再編成され協調するようになり，それにともなって外側の筋肉が視神経の動きに追随するようになります。目の外側にある筋肉のうちの１本を手術で短くすると，目はまっすぐ前を向くようになりますが，脳や視神経はなんら根本的に変化しません。この手術はあくまで外見的な理由でおこなわれるものであり，視力を改善したり斜視の原因を取り除くものではありません。眼帯を着けるのは建設的な方法ですが，根本的な変化を起こすためには上部視覚野を巻きこむ必要があります。斜視に取り組むのは，原因がはっきりとしているため比較的容易なのです。

　異常はしばしば生まれてすぐ，もしくは幼少時に発見することができます。大人になってから片目が少し外を向くようになる場合もあります。これはバイオリン奏者に起こりやすく，それは片目で弦を見，もう片方の目で楽譜を見るという習慣があるためです。また，ときどき大腿部が目の向きと同

じ方向を向き，頭は別の方向に傾くということを目にすることがあります。クラニオ・オステオパシーは膜組織の機能を回復させるために有効で，髄液と脳液の流れをよくし，蝶形骨内部の緊張を解放することができます。手術によって斜視が矯正されたとしても，見るときの良い習慣を身につけることは不可欠ですし，これによって内側からの協調と統合を起こすことができるのです。

### ［斜視の症例］

マーティンは30代の男性でした。彼の兄弟と同様に，マーティンも遠視で斜視でした。子どものころには眼帯をしていましたが，目に変化は起こりませんでした。彼は斜視矯正の手術を受けようと入院しましたが，手術を開始する数分前に眼科医がこの手術をしないことに決定したのでした（マーティンはなぜしないことになったのかは知りませんでした）。そんなわけで，彼の目は〈外〉を向いたままでした。

マーティンが初めて私の合宿に参加したとき，彼はメガネをかけていて，左目は確かに〈外〉を向いていました。彼は自分がぶざまで，むき出しにされているように感じていました。メガネを外したとき，彼は「外を向いてしまっている自分の目をみんなに見られてしまう」と，恥ずかしい思いをしました。私たちが彼の広がりすぎの上部視覚野にはたらきかけるようになると，マーティンは少しずつ自分の内側で目と視神経が動いているという，今まで感じたことのない感覚をもつようになりました。

何カ月かして彼に会ったとき，斜視の症状がまったく見られなかったため，私はマーティンが斜視であったことを忘れてしまっていました。今では脳を通して目の方向づけをすることができるし，他人から変な目で見られることもなくなった，と彼は話してくれました。

### 光線過敏症——ここは明るすぎる！

「ここは明るすぎる！」とか「サングラスがないと頭が痛くなる」というのは光線過敏症の人がよく言うことです。光線過敏症の人はいつもサングラスをかけていたり，室内であっても外そうとしません。光線過敏症の原因は

網膜内にある光受容器にあり，また，脈絡膜の層が充分に機能していないことも原因になります。これは視床，脳下垂体，松果体も適切に機能していないということでもあります。サングラスをかけると光受容器（とくに桿体）の機能をさらに不活発にするばかりか，二つの腺の機能をも抑えてしまうのです。日常において目を細めたり顔をしかめたりすることが多く，腰と背中に緊張があり，暗闇に対する恐怖や不安をともなっています。パノラマ視を応用して見ることを学習すると，光受容器の桿体が通常の機能を回復し，脈絡膜の層への血液供給機能も正常に戻り，光線への過敏な反応が格段に減ることになります。

　この場合，第一次協調作用を確立したあとに，網膜，脈絡膜と脈絡膜液，視床と視床下部にいたる視神経経路が，脳下垂体と松果体とともに，刺激される必要があります。

[光線過敏症の症例]

　24歳のバーバラが私のところへきたのは，夏だけではなく冬でも光線がまぶしすぎて，目を細めなくてはならなかったからでした。彼女はまた，夜もよく見えませんでした。サングラスをかけることが多く，外し忘れることもよくありました。それを除けば，バーバラは視力が良く，近くも遠くも良く見えていました。私たちはまずパノラマ視をすることに取り組むことにしました。目を閉じて手のひらをまぶたにかぶせてパーミングをしたり，まぶたを閉じたまま目をひなたぼっこさせることによって，光受容器にある桿体をより効果的に使えるようになるということを彼女に学習してもらいました。これによって脳下垂体と松果体がより効率良く機能するようになるのです。新たな気づきをもって，彼女はサングラスをかける頻度を減らすようになり，彼女の桿体と脈絡膜も充分に機能しはじめたのでした。こうして夜でもよく見えるようになり，明るいところで目を細めることもなくなりました。バーバラは数週間でサングラスがいらなくなりました。

　夜目——なんにも見えないじゃないか！

　夜目は，パノラマ視するための桿体光受容器と，脈絡膜の血流という領域

に関連しています。都市生活をしている人は，一晩中明かりがついていることが多いので，パノラマ視するための光受容器があまり使われることがなく，暗闇で何かを見なければいけないということもないので，光受容器にとって必要な刺激があたえられないのです。暗闇のなかでは，ものを見ようとしたことさえない，という人もよくいます。暗闇に対する恐怖感が，見えているものを認知する邪魔をしていることもあります。明確さや色彩は日中の視覚においてのみ存在するものなので，夜目はまったく異なった種類の視覚なのです。夜はものの形と輪郭を見ることしかできないのです。そこに形の明暗がついているだけです。

　夜目は桿体光受容器と直接に関係しているため，きわめて重要なものなのです。すなわち上部視覚野と全体的調整作用への通路となっているのです。夜目がきかない場合は，たいてい松果体が適切に機能していません。松果体の機能の一つは，睡眠パターンの調節です。それが脳下垂体に影響をあたえ，さらにはホルモン周期全体にも影響をおよぼします。

　この場合，まずは第一次協調作用を確立する必要があります。次いで網膜，脈絡膜，視神経を使うことを学習し，松果体と脳下垂体につなげます。そうすることによって，パノラマ的光受容器における刺激不足状態に変化がもたらされます。これが夜目にとって不可欠です。

[夜目の症例]

　30代前半のベラが，私の主催する合宿と個人レッスンに参加してきました。彼女は一晩中明かりがともっている都市，ロンドンに住んでいました。暗くなると家のなかで何も見分けることができなくなるので，彼女はわざと家中の明かりをつけるようにしていました。また，明かりをつけたままで眠るほどでもありました。夜目がきかないだけではなく，日中の光に対しても彼女は過敏でした。彼女の腰と骨盤は少し曲がっていて，骨盤は少し前傾気味でした。彼女は，夜の睡眠に要する時間はほんの短時間で充分だと言い，また，午前1時か2時になるまでは寝つけないとも言いました。彼女は子どものころから暗闇が怖く，昼間は直射日光を避けていました。

　彼女は広がりすぎ型でしたので，私たちは彼女の注意を，パノラマ視する

ための光受容器と，脈絡膜の層へと向けることから始めました。脈絡膜の層
は，血流でもって網膜を支え栄養分を補給しています。昼にも夜にも，パノ
ラマ視のための光受容器を使うことに気づくようになるにしたがって，彼女
の経験が少しずつ変化していきました。暗闇でも安全だと感じはじめ，形や
輪郭を認知できることに気づくようになったのです。それまで彼女は，夜で
も昼間と同じように見えなければならないと思っていたのです。一度その違
いに気づくと，彼女の恐怖感はなくなっていきました。彼女は夜寝るときに
明かりを消すようになり，昼間の視覚も良くなりはじめました。数週間後，
寝ているあいだ部屋が真っ暗になるようにカーテンを閉めてみたらどうです
かと，私は彼女に提案しました。彼女の睡眠パターン全体が変わり，彼女は
早い時間に寝つけるようになり，ずっとさわやかな気分で目覚めるようにな
りました。彼女は次の段階に進み，たまに夕方に部屋の明かりをすべて消
し，居間の形と輪郭を認知する練習をするようにもなりました。彼女はそう
いったことをするのを楽しみはじめました。休日には，知人といっしょに夜
道を歩くという実験もしました。もしかつての恐怖感が戻りはじめたとして
も，意識的に網膜の方向づけをすることによって，より良く見えるようにす
ることが彼女はできるので，恐怖感を減らすことができるようにもなりまし
た。彼女の骨盤の並びはずっと良くなり，上部視覚路と目の機能が修復され
たことによって，全身の機能も改善されたのでした。

### 網膜剥離

　網膜剥離とは，網膜が脈絡膜から〈剥がれる〉ことなのですが，通常は一
部分だけが剥がれるのであって，網膜全体が剥がれるわけではありません。
剥がれてしまった場合には，ただちに眼科医の診察を受けなくてはなりませ
ん。これは緊急事態であり，光受容器を失ってしまう可能性があるのです。
一刻を争う事態です。この場合，たいていはレーザー手術が施されます。
　網膜剥離は，愛する人の死とか，関係性が突然に破綻するといった感情的
ストレスと連係してしばしば起こるようです。ガラス体が急激に収縮したり
短縮すると，網膜の支えが突然に失われることになり，脈絡膜から引き剥

がされてしまいます。通常は緊急時にではなく，回復段階にある人びとと，もしくは剥離してしまってから長時間が経過した人びとと私は作業をしています。ここではガラス体にはたらきかけることが不可欠です。それにより網膜と脈絡膜とのあいだに健康な調和的関係を再度確立する（手術後であったとしても）ことが重要なのです。しばしば関連した問題が，腰，内臓，腹部，骨盤，骨盤底に見られます。

　網膜剥離は主として，上部視覚野収縮型に起こります。網膜が剥離すると視床や視床下部の協調作用に影響をおよぼし，また視床や視床下部にある腺にも影響をおよぼすことになります。

### ［網膜剥離の症例］

　43歳のマイクが私のセミナーに参加してきました。その3年前に彼は，網膜剥離であるという診断を受けたのでした。彼はその日に入院し，レーザー手術を受けました。「突然はっきり見えなくなり，もう焦点を定められないのではないかと思いました。一時間かそこらのうちにそうなったんです。私は心配になり眼科医に相談しました。彼は網膜剥離だという診断を下し，すぐに病院を紹介して手術を受けるようにと言いました。2，3日で回復はしたのですが，すごく自分がむき出しにされたような感じがして，自分自身でないような気分になりました」。

　マイクがセミナーに参加したのは，以前は良かった視力が網膜の事件以来めっきりと衰えたことに気づいたからでした。いくつかの質問のあとで彼が話してくれたのは，網膜剥離の直前の彼の生活は，仕事また仕事で遊ぶ時間もほとんどないストレス続きであったということでした。彼は何年も休暇をとっていませんでした。するとだしぬけに妻が，浮気をしていたがもうそれは終わったことで，これからの人生をマイクといっしょに過ごしたいと告白したのでした。彼は仕事に追われていたので，何も気づいていませんでした。「私の人生が突然にひっくりかえってしまって，裏切られたと思い，うちひしがれてしまいました」。マイクと妻は，二人の関係を整理するため，そしてどうやって関係を続けていくか決めるためにカウンセリングを受けることを決心しました。妻が浮気のことを告げてから10日後に，マイクの網

膜剥離は起きました。

　手術後まもなく腰に激痛が起こり，彼はそれを治すためにジムへ行き，定期的にカイロプラクティックの施術を受けることにしました。しかし痛みは残り続けました。その翌月，彼は仕事の量を減らすことができたので，男性だけのグループに参加したり，カウンセリングを続けました。そうやって，それまでまったく忘れられていた内的生活が，だんだんと良くなってきたとマイクは言いました。そして1年後に，彼と妻は双方とも別れることに同意したのでした。

　マイクといっしょに作業に取り組んでいてわかったのは，ガラス体が依然として網膜を支えていないということでした。その影響により，脈絡膜と脈絡膜液だけでなく，爬虫類の脳にいたる視神経の健康状態がおかされていました。その影響は視床全体の協調作用にまでおよんでおり，辺縁系を硬直させてもいました。2，3日実習をしたあと，彼は視覚がはっきりしてきたことと，腰がまっすぐになってきたことに気づきました。ワークショップを終えたとき，彼は貴重な道具を手に入れた，と言いました。ガラス体の動き，網膜と脈絡膜の動きを方向づけできることが認知できるようになり，その結果，腰の痛みから完全に解放されたのでした。彼は視力と姿勢が良くなったことに感激し，もはや網膜剥離は起きないことを確信して私のもとを去りました。

## ドライアイ

　ドライアイは，まぶたを硬くしすぎることから起こります。涙を生じる腺が適切に機能していないと，涙管もうまくはたらくことができません。まぶた，涙管，涙液，角膜は，頭蓋の骨構造と関係があり，喉と発声器官と関係しています。その一方で，結膜は首と，そして涙液は発声器官と関係しています。まぶたを硬くしすぎると角膜にも影響がおよび，その影響は上肢帯にもおよぶことになります。目薬は症状をやわらげますが，原因療法にはなりません。涙液を刺激するにはあくびがしばしば有効で，潤滑させるために目薬をさす必要を緩和しますが，長期的にみれば，涙管を適切に機能させるために

は，これら視覚システムの前部を自由にする学習が不可欠です。ドライアイは，収縮型上部視覚野と広がりすぎ型視覚野の両方のタイプに起こります。

目の前部に関係する第一次協調作用を確立すると，目の前部にもっとスペースができるようになり，目に対するプレッシャーが減少します。そうすれば涙腺内で涙液が生じて安定して流れるようになります。

[ドライアイの症例]

レベッカは40歳の教師で，何度かセッションを受けるために私のところへやってきました。彼女が抱えている問題の一つはドライアイでした。それとは別に老眼も進んでいました。彼女の首はとてもこわばっており，また，子どものころからずっと喘息だったそうです。頭痛もよく起こるそうです。レベッカの頭が前に突き出されていて，首と肩を硬くしていることに私は気づきました。背中全体が前に曲がっており，呼吸も深くなりませんでした。

何週間かかけて彼女は，上部視覚野からの意識的奥行き知覚を使うことを学習し，少しずつ目の前部を楽にできるようになりました。これと相関して彼女が得た気づきは，自分の両肩のあいだにはもっとスペースがあること，呼吸がずいぶん良くなったこと，首の可動範囲が広がったということでした。私たちは，これらをいかにして彼女の読書やコンピュータでの作業に結びつけるかということに取り組みました。数セッション後，彼女にドライアイはどうですかとたずねたら，そういえばしばらく目薬をさしてませんと彼女は答えました。つまり，実際のところ彼女はドライアイのことを忘れてしまっていたのでした。

## 飛蚊症——目のなかの髪の毛は何なの？

目のなかに浮遊物があるというのはよくあることです。それらは網膜の破片であったり，ガラス体液が固形化したもので，それが髪の毛のように見えるのです。それが中心窩の前を通りすぎるときに見えてしまうのです。ガラス体液はとても繊細であり，私たちの思考プロセスに反応しやすいものです。ガラス体液の粘度は刻々と変化し，それにともなって浮遊物も変化します。感情的ストレスがある場合には浮遊物がたくさん見えるでしょうし，近

視がひどい場合にも浮遊物がほぼまちがいなく見られます。

　飛蚊症でよくあることは，腰の緊張であり，また，肝臓，腎臓，膵臓，消化器官，生殖器が影響を受けることがあります。飛蚊症は収縮型と広がりすぎ型の両方に起こります。

　この場合，辺縁系と爬虫類の脳を含めたかたちで第一次協調作用をより効率良くはたらかせる必要があります。粘度を変化させると，それにガラス体が反応して網膜を適切に支えるようになります。こうすることによって浮遊物がガラス体液に溶け込み，消え去ることでしょう。

[飛蚊症の症例]

　50代半ばで強度の近視であるアニタが，私のところへやってきました。彼女は長年（3匹のネコと）一人暮らしで，きびしい因習に縛られていました。彼女は疲れ果てて自分の体を重く感じていました。彼女の姿勢は前屈みでした。彼女は自分で自分を堅苦しくしているのだと言っていました。彼女が初めて意識的にメガネを外したときに多くの浮遊物が見えました。強い近視の場合によくあることですが，彼女のガラス体はとても硬くなっていました。視覚システムに気づくこと，とくにガラス体に対する気づきをもつということを学習することによって，彼女はだんだんに，網膜と脈絡膜を支えるためにガラス体を動かすにはどのようにしたらいいかということを身につけはじめました。何回かセッションをしたあとでアニタは，浮遊物がそんなに目につかなくなったと言いました。やがて浮遊物は消えました。それは彼女が視覚システムの使い方をより良く統合できるようになり，ガラス体が楽に動けるようになったからです。

　意識的に，視覚システムを完全に使う方法を学習することにより，内なる能力が活性化され，全体的協調作用と身体機能が改善されます。しかし内に能力があるというだけでは，一筋縄でいかない世界と変化し続ける環境に対処するには充分ではありません。この能力を生活のさまざまな領域に応用する必要があります。次章では，どのようにして応用するのかについて，いくつかの例をあげていきます。

# 目と体の関係

本章で扱うのは，身体的機能不全——腰痛，心臓の問題，古傷など——と，目と脳の関係です。体に起こっていることを見ることで，視覚システムに何が起きているか知ることができます。アイボディ・パターンがどの部分に対応しているかについては，末尾にありますカラー図をご参照ください。

## 目と体の関係

ここまで私たちは脳と目と体の関係について見てきました。私たち人間の組織には階層があります。全体を協調させる脳が頂点にあり，体が底辺にあります。体は密度のある物質でできており，それに対して脳や視覚システムは繊細な組織で成り立っています——脳手術が，体のほかの部分の手術に比べ，たいへんに繊細なものであるということを思い起こしてください。組織のシステムというものはより繊細なものから始まり，末端では粗大になります。というわけで，体のほうを改善したとしても，視覚システムや脳で見られる進歩は些細なものでしかありません。体を通してはたらきかけるという方法は，視覚を改善する方法として信頼できるものではないのです。栄養や運動やボディワークでもって視力がしばらく改善することはありますが，これは脳—目—体という階層秩序にはたらきかけることにはなりません。視覚を改善しようとして，機械的，外的な方法を用いたとしても変化はほんの一時的なものになるでしょう。

しかし，意識的に視覚システムにはたらきかければ，体のほかの部分にも永続的な変化をもたらすことができます。これは，さまざまな姿勢の問題や機能不全に対処できる信頼できる方法なのです。アイボディ・パターンは，

診断の道具として使うことができます。腰痛といった具体的な障害から，自己免疫疾患や難聴といったとらえどころのない問題に関しても，視覚システムを通じてはたらきかけることによって，問題が理解できるようになったり変化させることができます。

　しばしば私は，はっきりと見えている人といっしょにアイボディに取り組むことがあります。それは，視覚システムにはたらきかけることによって，そういった人たちの体の内部にある緊張をゆるめる手助けをするためです。こうすることによって，体も視覚システムも解放されるのです。

## 聴覚と視覚システム

　私のワークショップにはいつも，軽度の難聴の参加者や耳鳴りに悩んでいる参加者がいます。視覚にはたらきかけて聴覚をよくするなんて，変な感じかもしれません。

　聞こえる過程において何の邪魔も入らなければ，音はすなおに聴覚システムに入り，視床に届き，辺縁系を通って，上部視覚野に上がってきます。これにより音についての経験が統合され，私たちに聞こえてくる音の意味の理解が起こります。もしも聞くことだけに集中してしまうと，初源的調整作用が使われないまま，視覚皮質は古いパターンにとどまったままです。

　視覚システムから離れ，音に集中しすぎると，視床との協調作用や視神経から視床にいたるつながりが置き去りにされてしまいます。聴覚が脳につながっているところは，ちょうど視神経が視床につながっている部分の真下にあります。まずは視覚システムにつながることを学び，次いで聴覚につながることを学べば，脳がより効率的にはたらけるようになり，苦もなく見ることと聞くことが同時にできるようになります。すべての感覚は上部視覚野に集まるからです。

　私の経験からいうと，広がりすぎの人たちはたいてい音楽が好きで，歌手であったり音楽家であったりダンサーであることが多いようです。上部視覚野が広がりすぎ型であるために，こういった特徴をもつ傾向が見られるので

すが，ここには危険な面もあります。それは，彼らが極端に消耗しやすいということです。彼らはあらゆる音を非常に敏感に感じとることができ，不協和音におしつぶされるように感じてしまうことがよくあります。上部視覚野が広がりすぎているために上部視覚路全体も広がり，聴覚系がむき出しになり，脳のほかの部分との統合が不適切です。新皮質（まぶたと関係あり，頭蓋骨と内耳の骨に影響する），涙腺（発声器官に関係する），辺縁系（虹彩と眼房水に関係する）は決定的なつながりです。必要なことは，視覚システムの協調作用を意識的奥行き知覚といっしょに導いて，頭蓋骨構造が統合できるようにすることで，とくに内耳管が統合できるようにすることが必要です。そうすれば楽に聞くことができるようになり，しかも三次元的に聞けるようになります。聞くことだけに集中してしまうと，第一次協調システムが使われることがないので，広がりすぎ型上部視覚野のパターンにとどまり続けることになってしまいます。

　かつて私は，アメリカでの夜間飛行中，耳鳴りが起きてしまったことがありました。私の耳が窓によりかかっていたのです。窓のそばでは4時間以上にもわたって轟音が響いていました。ニューヨークに到着すると，耳鳴りがしていました。しばらくしてわかったことは，振動音に気をとられたあまり，視覚システムとの接触を断ってしまっていたということでした。そこで私は意識的に視覚システムを協調させました。そうすると聴覚が変わりはじめて，耳のなかの雑音が消えていったのでした。

## 感情と視覚システム

　感情は脳の構造に源を発しています。大脳辺縁系は感情の脳としても知られており，古い記憶は扁桃体に蓄えられていると信じられています。目のなかで大脳辺縁系と対応する関係にあるのは，虹彩と眼房水周辺の液体（身体的な意味では心臓，感情的な意味ではハートと関係している）です。ある種の感情は爬虫類の脳と関係しており，それは闘争・逃走反応とか恐怖や不安といった感情で，私はこれらの感情を，眼球を内側から支えている液体，つ

まりガラス体と関連づけています。人によっては，この液体が凝固しはじめ，動きがにぶくなっていることがあります。ガラス体は，腰や消化器官などの内臓と関連があります。自分のガラス体とつながることがほとんどできない人とアイボディに取り組む際に，私は心理療法を受けることをすすめることがあります。そうして目の内部のこの部分に入り込む能力が高まってきてから，私はセラピストと協力してアイボディ・ワークをすすめるようにしています。これによって視床と視床下部を解放する効果をもたらします。そして最終的には，辺縁系を通過する協調作用が調和され，古い記憶に結びついていた固着からシステムがいっせいに解放されるほどになります。

　重要なのは爬虫類の脳と大脳辺縁系を同調させることです。そうすることによって感情的にまとまりのある人間として，周囲に注意を払いつつ自分の立場を感情的に認識しながら生きることができるのです。新皮質だけに頼っていても，社会的につながりをもったり社会的責任をもつには不充分なのです。若者（大人も含めて）に見られる反社会的な分裂は，爬虫類の脳と大脳辺縁系の協調が欠けていることに原因があると私は考えています。これらのシステムを統合する過程に携わることによって，爬虫類の脳や大脳辺縁系といった脳の機能を協調できるようになり，その結果，自分自身の全体性を経験し直すことができ，ほかの人びとと全人間的につながることが学習できるようになります。

## 体のけがと視覚システム

　けががいかに体に影響をあたえ，知らず知らずに視覚システムにも影響をおよぼすかということについての実例を見ていくことにしましょう。7歳のトムは自動車に当てられました。事故直後はただ不安が残って1日ほど食欲をなくしてしまっただけで，外傷は見あたりませんでした。その後，一見トムに変わったところはありませんでした。数週間後，トムは腰の痛みを訴えました。半年後，学校の定期検眼で，トムは検査表が見えにくくなっていることがわかりました。また，はっきり見るために，以前よりずっと黒板の近

くに座らなければならないようになったとも彼は言いました。彼の両親が検眼士に相談したところ，トムは近視であると診断されました。彼はメガネを処方され，いつもかけるようにと言われました。こうしてトムは検眼士に言われたとおりにしているのです……。

　事故の後遺症について適切に対処されていたならば，トムはメガネをかける必要がなかったもしれません。恐怖感と不安感が腰と腹部にあらわれていました。これは，ガラス体との相互関係を示しています。事故後1日くらい，トムは変わりないように見えていたのですが，ガラス体は収縮し続けていたようです。この収縮を〈解消〉するためには気づくことが必要です。ガラス体は網膜を支えているのですが，この場合は網膜を支えられなくなり，やがて腰が痛くなってしまったのです。体も疲労の徴候を示し，数日後には感覚的に気づく能力が麻痺してしまいました。そのおかげで痛みが消え，彼は生活を続けられたのでした。しかしガラス体と網膜は収縮したままであり，視覚システムのほかの部分にもその影響がおよんでいきました。トムは収縮型上部視覚野の持ち主だったので，この一見些細な事故の後遺症として近視があらわれてきました。

　子どもの日常においては，小さな事故，もしくは一見小さいと思われる事故がたくさん起こります。これらの事故すべてが，不可避的に近視につながるわけではありません。しかし，ほんとうに強い衝撃を受けた場合や，長期的に複合的な影響として，近視になることはあり得ます。これはほかの視覚機能不全についても同様です。トムがこの過程のどこかの段階で助けを得られたなら，メガネをかけずにすんだかもしれません。

## 体と目のつながり

　以下のリストでは，どの身体的問題が視覚システムのどの部分につながっているかを示しています。このリストは完全なものではありませんが，体と視覚システムの関係性についての洞察を深める手助けになるでしょう。以下にあげる問題の大部分が，収縮型と広がりすぎ型上部視覚野の両方のタイプ

で見られます。

## 頭，首，脊椎

**難聴，耳鳴り，聴覚過敏**は，まぶたと結膜につながっており，視床と脳下垂体とも関連しています。また新皮質とも大いに関係しています。視覚システムが統合されると，聴覚が立体的になります。聴覚症状が多く見られるのは，広がりすぎ型もしくは片側広がりすぎ反対側収縮の人たちです。

**頭痛，偏頭痛，頭部のけが**はまぶた，とくに下まぶたや，結膜，涙管液，網膜，視神経（視神経円板と視交叉を含む），視床，辺縁系，上部視覚野とつながっています。視覚システムを統合することで，頭蓋構造や，脳内部の液体や粘膜のバランスができるようになり，反応が良くなります。

**喉の不調，首の緊張，言語障害**とつながっているのは，まぶた，結膜，涙液，涙腺，角膜，眼房水，脈絡膜です。脳内では，視床と視床下部と松果体と松果腺はつながっています。ここで大きな役割を果たしているのが辺縁系（とくに脳梁）と上部視覚野であり，対応して起きる視覚障害は乱視，近視，遠視，老眼，緑内障，白内障です。視覚システムが協調されれば発話が自由になり，首や喉のあたりの緊張もゆるみ，バランスも良くなります。

**歯，あご，歯ぐき**に関連しているのは，まぶた（とくに下まぶた），まつげ，結膜，角膜です。脳内では新皮質と関係があります。

**脊椎，脊髄，**この部分での問題はガラス体管と関係しています。ガラス体管は，目の胎生過程において重要な役割を果たしており，そこから水晶体が形成されます。水晶体，松果体，脳下垂体の機能と同様に，第三脳室もここでは役割を担っています。

## 胴体上部，手，腕

**呼吸器，横隔膜，肺**，この部分の不調とつながっているのは水晶体，水晶体液，眼房水，脈絡膜，毛様体，網膜とガラス体です。また直接的に視床と視床下部（と視床下部に関連する腺）の協調作用にもつながっており，それにともなって第三脳室と，そこから脈動している髄液と大脳辺縁系の一部に影響します。こういった部分が機能不全を起こすと，白内障，老眼，近視，緑内障になることがあります。

**心臓**と心臓にかかわる機能不全と関連しているのは，虹彩とその周囲の構造体と液体，すなわち眼房水，水晶体，毛様体，脈絡膜，ガラス体，網膜から辺縁系，脳弓につながっています。心臓の問題は，上部視覚野の両タイプに起こります。心臓の問題と緑内障には強い関係があります。

**肩，腕，手**については，肩や背中の緊張，肩の前屈，腕の痛み，手や指の麻痺，手の疼痛，手の血行不良，手の冷えが，目の前部，強膜，視神経外鞘と関連しています。

## 胴体下部

**内臓，消化器，膵臓，肝臓，脾臓**は，主にガラス体や網膜とつながっています。また，脈絡膜，視床，視床下部と，それらに関連する腺もはたらいています。

**腰痛，月経時の緊張，生殖器不全**はガラス体，網膜，脈絡膜，中心窩，光受容器の錐体と桿体，視交叉とつながっています。また，視床と視床下部，視床と視床下部の腺とも関係しています。これらの領域での障害，とくに腰痛は，近視と強い関係にあります。

## 股関節部

　股関節痛，鼠蹊部の痛み，腰痛，骨盤の不均衡と関連しているのは，視神経円板（網膜と脈絡膜と視神経が合わさるところ），網膜，脈絡膜，ガラス体，視神経，視床，視床下部とそれらに関係する腺，そして外側膝状体です。股関節部の問題は緑内障，近視，遠視と関係があり，上部視覚野のすべてのタイプに見られます。

## 大腿部とひざ

　静脈瘤，脚の長さの不ぞろい，月経痛や，膝が内側を向いていたり，お尻まわりだけに脂肪がつきすぎるといったことは，視神経，網膜，脈絡膜液，脳下垂体と松果体，視床と外側膝状体と関連しています。これはとくに，遠視，斜視，緑内障，老眼，近視に見られます。

## 下腿と足

　腱膜瘤，すねの不具合，足が内・外を向いている，土踏まずが高すぎたり低すぎたりすることと関連しているのは，下部視放射（外側膝状体と下部視覚野のあいだにある）と下部視覚野です。これらの問題はとくに斜視，近視，遠視としてあらわれます。上部視覚野のすべてのタイプに起こります。

## その他の症状

　免疫不全，疲労一般，消耗常態，うつ病は，角膜，眼房水，シュレム管，脈絡膜，毛様体，ガラス体に関連しており，さらに脳梁，辺縁系，視床，視床下部とそれぞれに関連する腺をともないます。これらの症状は近視，遠視，老眼につながります。

　閉経期，月経不順，ホルモン機能が関連しているのは，脈絡膜（に到達する血量が不足している状態にある）水晶体，眼房水，虹彩であり，また網膜における存在感の欠如，視神系と視交叉にも関係しています。脳下垂体，爬

虫類の脳と辺縁系もまた関与しています。

　**睡眠の問題**で，夜に眠れないのは，網膜とくに杆状体光受容器とガラス体に関連し，そして松果体とつながっています。爬虫類の脳と大脳辺縁系も関与しています。

　**血行**は，とくに脈絡膜，眼房水，虹彩と毛様体を通してつくられる液体と，その液体の生産機能に関連しており，また爬虫類の脳にも関係があります。

　**安全感と感情の境界線**とつながっているのはガラス体，水晶体，瞳孔と目の前部の機能です。これらの問題と主にかかわっているのは爬虫類の脳ですが，大脳辺縁系と新皮質もまた関与しています。

　**側弯症，脊椎の機能不全**とつながっているのは，ガラス体菅とガラス体，虹彩ととくに目の鼻側と，視床／視床下部と松果体と脳下垂体です。関係している脳の部分は，爬虫類の脳と大脳辺縁系のうちの視覚システムの部分で，とくに第三脳室の周辺です。これらの症状がしばしば起こるのは片側が広がりすぎ反対側が収縮している人たちの場合です。

　**脳機能，細胞生成，脳の統合と記憶**は，視覚路全体とつながっています。意識的奥行き知覚は，爬虫類の脳，大脳辺縁系，新皮質にある視覚システムをつなげ，それぞれの領域において脳機能を協調させます。

　**識字障害**は，とくに視神経と視床に関連しています。関連する部分は爬虫類の脳と大脳辺縁系に見られます。識字障害が起こりやすいのは広がりすぎの上部視覚野と，片側広がりすぎ反対側収縮の場合です。

　**発話障害，歌唱障害**は，ガラス体，水晶体，眼房水，目の外側部分（結

膜，まぶた，涙管，涙液）とつながっています。脳の関連部分は，爬虫類の脳と大脳辺縁系，新皮質です。

　次章では，アイボディ・パターンをさまざまな活動にどのように応用できるのか，また，アイボディの原理を実践するにはどのようにすれば良いのかということを見ていきましょう。

# 第 7 章

# 日常生活への応用

## 日常生活への応用

　日常において，私たちはさまざまな活動をします。たとえば，電話をし，犬の散歩をし，テレビを見，会議に出席し，愛し合い，車を運転し，カバンをさげ，瞑想し，コンピュータで仕事をし，書類を読み，ゴルフをし，ろうそくの炎の下で夕食を楽しみ，乗馬し，ジムで汗を流し，庭の手入れをし，バラの匂いを楽しみます。私たちの日常生活は，絶えざる思考，運動，視覚的インプットによって満たされています。私たちは自覚していないかもしれませんが，1日に数えきれないほど聞いたり，見たり，味わったり，触ったりしています。

　ここに座り，この本のこの行を読むためには，目と網膜が機能しなくてはならず，脳が内容を把握し理解しなくてはなりませんし，手と腕が本を支えなくてはなりません。莫大な量の刺激が一瞬間ごとに私たちのシステムのなかに入ってきています。私たちが意識しているのは，舞台裏で起こっていることの何分の1でしかありません。大部分はハード・ディスクとソフトウェアのなかに隠されてしまっています。

　たとえば，お腹が空いたのでキッチンへ行って料理することをあなたが決めたとしましょう。あなたはまず，これから食べるものを視覚化しはじめます。視覚化されるのは，全体像であるかもしれないし，食材の一部が思い浮かぶだけかもしれません。するとあなたの脳が下した決定と意図が，あなたの目をあなたが行く方向へと導き，あなたの体がそれにしたがってキッチンにたどりつきます。料理をするという比較的単純なことをするに際しても，

何百ものほかの衝動，考え，動き，印象が，おそらくシステム全体によって消化されているのです。ここで電話が鳴ったとしても，この止むことのない工程ははたらき続けるのです。視覚路を気づきの状態にさせると，脳と目と体が一つになってはたらくようになります。一生かけてつくり上げた習慣を変えるのは容易でないことは私も承知しています。しかし，脳と目と体をより良く使えるようにするための基本を学ぶことによって，少しずつ日常生活に応用できるようになります。それに，上達するにしたがって少しずつ改善されていくことが自分でもわかるので，学ぶことが楽しみになります。一歩一歩，完璧を求めずに，自分自身を観察しながら，考え，視覚，動作を調整することを学んでいきましょう。

　意識的奥行き知覚によって，私は舞台の演出家のように，この一見とぎれることのない工程の流れを監督することができます。この，内部にある協調能力に干渉することも素通りすることもなく，私は上部視覚野から意識的奥行き知覚をはたらかせることによって，新皮質，爬虫類の脳，大脳辺縁系のすべてをそれぞれの仕事を邪魔することなく，協調させはたらかせることができるのです。その結果は自分自身に対する継ぎ目のないつながりから発し，外部の環境へと広がります。

　これは，何をするにしても楽にできるようになるということを意味します。脳のすべての側面が協調されると，体を動かすことが楽になり，感情もそれに同調して楽になります。感覚面での気づきも増しますし，霊的洞察力にもその影響がもたらされます。


## コミュニケーション


　応用するにあたって，コミュニケーションへの適用は非常に重要です。私たちは，パートナー，子ども，同僚，友人，そして敵，といった人たちとコミュニケーションをとっています。私たちは意志をもって，仕事の打ち合わせをこなし，舞台に上がり，先生として教室に臨むといったことを公私にわたっておこないます。また，母親，父親，きょうだい，先生として，乳児，

幼児，ティーンエイジャーとコミュニケーションをとり，そして自分たち同士でもコミュニケーションをとります。コミュニケーションは言語で，意識で，感情で起こり，体と手足をともない，楽器，本，絵とか彫刻などのメディアを通ります。バスの車内で，オフィスで，家で，そしてスポーツの現場でもコミュニケーションはあります。私たちは一日中いろいろなかたちでコミュニケーションに参加しており，視覚システムは絶えずこれらに関与しているのです。さて，自分のコミュニケーションはどれくらいの効果を発揮しているのでしょうか。話を聞いてもらえているのでしょうか。コミュニケーションがうまくいく人といかない人がいるのはなぜでしょうか。自分の意思を伝えるために，どれくらいの労力を払っているのでしょうか。

　なぜ，見ることがコミュニケーションにおいて大切なのでしょうか。なぜなら，視覚のメカニズムは，はっきり見えるようにしているだけでなく，自分の全体を協調させてもいるからなのです。ですから，良く協調されていれば私たちはさらに良く機能するようになり，良く機能すればするほどさらに良くコミュニケーションをとれるのです。コミュニケーションは効果的に発信されただけ，効果的に伝わります。良く統合された視覚システムをもつということは，自分の意思をはっきりと伝えられるようになることを保証してくれるのです。

　誰でも知っていることわざで，目は心の窓といわれています。目を見ることで，お互いにわかりあってしまいます。もしかしたら，わかられたくないことまでも，わかられてしまいます。視覚システムは伝えたい相手を見るでかではなくて，私たち自身が自分について，どこまではっきりわかっているかを決めてしまいます。うまく調整された視覚システムは，私が自分の意図をはっきりと知ることを保証し，その明快さが広がってコミュニケーションになり，書かれたり，話されたり，または非言語的表現となります。

　ここでコミュニケーションにおける，広がりすぎ型上部視覚野と収縮型の特徴を示してみましょう（図7-1，7-2参照）。広がりすぎ型は，理路整然と言語化することができ，どこか超然としており，会話中も調子を崩すことがないという傾向があります。また，話が個人的なことになりすぎると，圧倒

図7-1　収縮型（左）と広がりすぎ型（右）　図7-2　パノラマ視でのコミュニケーション
　　　　のコミュニケーション

された感じを受け，横柄な反応をしてしまう傾向もあります。会話中，意識
ははるか宇宙の果てをさまよっています。広がりすぎ型の人のことを相手
は，冷たくて近寄りがたい頑固な人だと感じるようです。

　この場合は，上部視覚野が小さくまとまって，脳を協調させている中枢の
位置に合わさる必要があります。すると脳幹に気づきがもたらされ，広がり
すぎ型の人は，よりまとまった感じになります。視床，視床下部，脳幹，脊
髄が整い，それにともなって目の前部が整うことによって圧倒される感じが
消えます。そのかわりに，内部に安心感が生じるようになります。肩，首，
頭蓋の骨構造，心臓の周辺部分がやわらかくなり，ゆったりした気分になり
ます。ハートから重荷をおろしたような感覚がします。そして近寄りやすさ
と新しい存在感を感じさせる，コミュニケーションをとりたくなるような心
やさしい人であると相手も感じるようになり，また時間も余裕があり，健康
な境界線がどこにあるかがわかりながら，相手と接するようになります。

　収縮型の場合は，おそらく不安や恐怖があるために言葉が空回りしてしま
います。自分の考えを伝えるために多大な労力を払い，表現しようともがく
のですが，気持ちをはっきりさせることがなかなかできません。収縮型の人
は生来，心象的イメージが乏しく，頭のなかでのおしゃべりも少ししかない
ため，コミュニケーションにおける意図がはっきりとしないのです。収縮型
の人は，脳幹と脳髄が硬直しておしつぶされているため，体は前屈みで引き

こもりがちになり，ガラス体が収縮してしまっているために網膜から引き離され，目の前部がおしつぶされてしまっています。上体が縮み，呼吸が浅くなり，首，喉，肩，頭が硬直しています。こういった視覚のパターンをやめることによって，視覚システム全体がガラス体（感覚や感情と関係しています）から網膜，脳幹にかけて開いていくことができ，それにしたがって上部視覚野が広がり，視覚システム全体が広がることができるのです。その結果，意図がはっきりとするようになって，コミュニケーションがうまくできるようになります。また，自分の存在，そして自信がはっきりとし，周囲の人もそれを感じるようになるでしょう。

　広がりすぎ型の人が，やわらぐことによって自分の中心を内から知ることができるようになるのと同様に，収縮型の人は，不安や恐怖なしであらゆる方向へ広がることができるようになることで，あらゆるレベルでコミュニケーションができるようになります。

## 原理を日常生活に応用する

　以下にあげるのは，合宿の参加者による日常生活に関してのコメントです。

### 自動車の運転
　パノラマ視しながら車を運転すると，元気で注意力が増し，同乗者や同じ路上にいるドライバーにとっても安全性が高まります（図7-3，7-4参照）。

### 家や学校での子ども
　家や学校で，パノラマ視や意識的奥行き知覚を使うことによって，子どもが得られるものははかりしれません。多くの子どもが，机や練習帳，コンピュータゲームの上に屈みこんで，自分の視覚システムのことや姿勢や気持ち良さといったことを完全に無視してしまっています。
　いろいろな年齢の子どもといっしょにアイボディに取り組んでいて私が気

図 7-3　収縮型のドライバー

図 7-4　パノラマ視でのドライブ

づいたのは，子どもたちの脳と体の機能がより協調されるようになり，より
はっきりと考えたり見たりする能力が向上するということでした。パノラマ
視と意識的奥行き知覚を使うことを学習することが，子どもたちの創造的な
考えと実務的な考えの両方の支えとなるのです。そのおかげで識字障害が低
減されたり，メガネをかけっぱなしにする習慣を身につけるよりもメガネを
かけないようにしようという気持ちにさせたり，子どもの姿勢と体の機能全
般が良くなりました。このワークによって子どもの感情がよそへ行かずにバ
ランスよくとどまり，社会的に責任をとれるようになります。自分自身に気
づきながら，周囲に注意が向き，日常生活と，人生での成長の過程において
サポートを感じることができます（図 7-5，7-6，7-7 参照）。

## 読むこと

　読むということは，現代世界において中心的な活動です。情報を容易に読み取り吸収する能力は，日常生活においてますます重要になっています。目の疲れの最大の理由は読むことだと多くの人が口にします。私たちの読む方法は，主として最初に読み方を習ったときの癖に基づいた方法です。読むことであるとか言語といったものはたいへんに習慣的なもので，その根底にあるプロセスについてもほとんど無意識のままにおこなわれています。文字そのものや単語，意味に意識を集中しすぎるあまり緊張が起こり，理解が損なわれてしまうという傾向がよく見られます。

　効果的に読んだり理解したりするためにはパノラマ視が不可欠です。読む際に意識的奥行き知覚を応用すると，遠近調節作用（とくに水晶体液）が充分にはたらくことが保証されるようになり，脳も完全に協調されるようになります。速読をすると周辺視が刺激されますが，これは普通の読書，日常の読書にも応用できます。合宿中に参加者がよく口にするのは，文字がよりはっきりと見え

図7-5　広がりすぎ型の書く姿勢

図7-6　収縮型の書く姿勢

図7-7　パノラマ視で書く姿勢

図7-8　広がりすぎ型の読書

図7-9　収縮型の読書

図7-10　意識的奥行き知覚を用いた読書

るようになったということや，いかに理解力が上がったかといったことです。それはただ単語を見るのではなくて，よんでいることの意味を視覚化することを学んだときに起こります。ピンホール・メガネは老眼の読書プロセス改善にとても有効です（図7-8，7-9，7-10参照）。

## コンピュータの使用

　多くの人にとってコンピュータを使うことは日常的なことですが，過労や挫折感が起こりやすい作業でもあります。近視の人の場合は文字を拡大することによって目の緊張を減らすこともできますが，それよりも協調された視覚システムを用いる方法を学習するほうがずっと便利です。これは，目，脳，体のすべてを最大限に機能させることができる効率的な方法なのです。

　読むときと同じように，この場合もパノラマ視が出発点になります。この上部視覚野から生じる協調作用が，脳と体を協調させ，それによって目の緊張や身体的な疲労（とくに肩，背中，腕，手首，手，腰の）に意識的に対処できるようになり，そして緊張や疲労を取り除くことがで

きるようになります（図7-11，7-12，7-13参照）。

## 飛行機に乗るとき

航空機の乗客，パイロット，客室乗務員といった人たちにとって，時差ぼけを防ぐことは松果体と脳下垂体での気づきを通して睡眠パターンを調整することで大いに可能になります。飛行中に最近私は，耳栓やノイズキャンセリング・ヘッドフォンを使うので視覚システムにとどまることが容易になりました。飛行機の絶えざる振動音に引き込まれずにいられるので視覚システムとの接触が断ち切られることがなく，飛行中の耳鳴り予防に欠かすことができません。

図7-11　広がりすぎ型の人

図7-12　収縮型の人

## 音楽家

音楽家にとっては，意識的奥行き知覚を調整することで演奏がらくになり，同時に三次元的に音楽を聴き，楽譜を読むことができます。歌手の場合は，自分の存在感が増して声の響きも良くなり，音を聞いたり楽譜を読んだりする能力も高まります。そしてその結果として呼吸が楽になり，発声器官が協調し，聴衆と

図7-13　意識的奥行き知覚を用いる

図7-14　バイオリンを演奏する収縮型の人　　図7-15　パノラマ視を用いて演奏する人

交流する能力が高まるのです。音楽の演奏家にとっては，本番での舞台恐怖感が減り，存在感と注意力が増えます。網膜，脈絡膜と水晶体とかかわりながらガラス体が繊細に動いて，内部での圧力と不安が解放され，再び呼吸が始まります。メガネをかけたりコンタクトレンズを着けると，視覚システム全体を含めにくくなり，楽に演奏するために必要な，脳各部の全体的な協調作用を制限してしまいます。音楽の演奏と学習においては，楽譜にフォーカスしすぎるのではなくて，音楽を思い浮かべるようにすれば，もっと早く確実に楽譜のページから離れることができます。また，演奏においてもっと個性的な表現があらわれてきます。暗譜で演奏すれば，視覚システムは譜面上の音符を見ることよりもっと創造的に使われるのです。上部視覚野から音を見ることになれば，演奏家にとっても聴衆にとっても，音楽が三次元的な性質をもつようになります（図7-14，7-15）。

### 舞台俳優，講演家

　舞台俳優や講演家にとって，聴衆とつながる能力は欠かせません。意識的奥行き知覚は演者の存在感を増し，それによって聴衆は演者に〈より近づく〉ことができるようになります。すると聴衆は，周りにいるのが5人であろうが5万人であろうがそれに関係なく，演者の気持ちと動きに自分も包み

込まれているように感じるでしょう。

### 映画やテレビの俳優，出演者

　映画やテレビの俳優や出演者が，自分の視覚システムを楽に使う能力を身につけたならば，顔や首や肩の筋肉の硬さがとれるでしょうから，意図や感情の表現がより自然なものになるでしょう。視覚システムの解放とは，習慣的に自分を守っているよろいを外し，自然に見たり見られたりする能力が高まることを意味しており，その一方で自分自身の境界は損なわれることなく保持してもいるのです。安全感は非常に重要であり，しっかりと機能している視覚システムは，自然なかたちでこの安全感を私たちにあたえてくれます。しばしば私は，出演者がコンタクトレンズを着けていたりレーザー手術を受けたことがあるといったことを見抜けることがあります。出演者が，人から見られる能力をもたないままに出演しているのを見ていると，視聴者としての私が締め出されているような気分になってしまいます。つまり，触れ合っている感じが欠けてしまっているのです。カメラの技術によって，これがとくにはっきりと見てとれます。意識的奥行き知覚を用いる能力があれば，視聴者に意図や感情を直接に伝えられるでしょうし，視聴者の興味をかきたてることにもなるでしょう。

### ダンサー

　ダンサーにとって不可欠なのは，高度の自然らしさと存在感をともないつつ協調された動作をおこなう能力です。上部視覚野からの意識的奥行き知覚を使うことを学習すれば，見通しによって内的にも外的にも目と体の動きが導かれるようになり，その結果，演技における存在感と表現様式がより高まります。これはまた，けがの予防にもなります。ダンサーの多くは広がりすぎ型の上部視覚野の持ち主です。上部視覚野を視覚システム全体とつなげることによって脳幹と脊髄が整い，体の動作全体に影響をおよぼすことになります。そうすることによって，けがをしたり過度に緊張したりすることが減ります。とくに首まわりや肩まわり，背中や腰の問題が軽減します。

## スポーツをする人

プロまたはアマチュアを問わず，スポーツをする人にとって実力をつけることとけがの予防は，どちらもたいへん重要なことです。しかし，メガネやコンタクトレンズは邪魔になったり，ある特定のスポーツをできなくしたり，私たちがスポーツによって向上させようとしている能力を減退させたりしてしまいます。つまりスポーツを通して得られるはずの，スタミナ，スピード，臨場感，細かなことに対する注意力，呼吸の効率性，活動しながらゆるんでいること，運動の経済性，脳・目・体の効率性と協調性といった，私たち個々の肉体的所作にとって重要な側面が損なわれてしまうのです。脳・目・体を適切に協調させることによって，技術にみがきをかけ，より深いレベルに到達させることができます。

## 団体競技

サッカー，クリケット，バスケットボール，ラグビー，フットボール，水球といった団体競技は，視覚システムを個人的に応用したり，集団的に応用する絶好の機会です。場合によっては，この応用が勝敗を決することがあります。意識的に視覚システムを使うことで脳・目・体の協調作用が整い，それによって選手の競争力が高まります。その結果，スピードがより早くなり，生来備わっている反応機能も上がり，けがをしにくく疲れにくくなります。チーム全員が視覚システムを用いてプレイできたなら，素晴らしい相乗効果を生み出すことになり，負けることはありません。見る者には畏敬の念を抱かせ，何年も語りつがれることになるでしょう。コーチたちもまた，選手といっしょにこのテクニックを経験し学習することができます。それがチームとしての相乗効果をつくり出し，チームの動機づけを高め，選手個々に視覚テクニークを応用させるはげみにもなるのです。

## ゴルフ

ゴルフでは，脳・目・体の協調が，一つひとつのスイングに必要です。視

覚システム内が少しでも緊張すると，目・視覚システム・体をこわばらせたり，崩れさせたり広げすぎてしまいます。ゴルファーが体系的に視覚システムを取り込むことを学習すると，プレイの正確さは劇的に向上します。実践は練習場やコースでプレイするときに始められるのではなく，家で新聞を読みながらでも始められます。視覚システム全体を取り込むことによって，読みやすくなるだけでなく，頭，首，背も協調するようになります。そうすればティーから第一打を打ち出すころには，あなたは臨場感たっぷりになっており，充分に視覚システムも協調されています。あとはこの実践を続けながら，ゲーム中，クラブをスイングするときに視覚的気づきを応用すればいいだけです。

　40歳を過ぎた多くのゴルファーは老眼ですから，水晶体や水晶体液，そして目の前部のまちがった使い方をしています。このまちがいは，直接に背中，首，肩，呼吸器に影響をあたえます。そしてスイングにも支障が出ます。視覚システムを通して方向づけることを学習すると，脳幹と脊髄が整うので，頭と首と背の関係が良くなり，腕の伸展やひざの屈曲が改善されるだけでなく，ボールを追跡する能力も改善されます。あるゴルフ愛好家がかつて私に話してくれたのは，パノラマ視でもって行方のわからなくなったボールを探すのは，まるで赤いバラの茂みのなかにある白い花を見ているようだ

図7-16　ゴルフをする収縮型の人　　図7-17　意識的奥行き知覚を用いた場合

ということでした。つまり，見つけようとしたり凝視したりしなくとも，花は目に入ってくるということです。脳がものを認識すると，目と体は脳の意図に従います（図7-16，7-17参照）。

## ジムでの運動

ジムで運動する多くの人は，体調のため，もしくは減量のためにとか，ただ単に気分を良くするために運動をしています。私はしばしば，ランニングマシンやボートこぎ運動機で運動している最中の人や，ボクシングやウエイトリフティングをしている人に，運動中に意識的奥行き知覚を応用するということをやってもらうことがあります。そうすると視覚システムが機能しはじめるだけでなく，運動中の実感や運動能力が高まることにみんな気づきます。より重いものを持ち上げたり，より速く，より長いあいだ走ったり，こいだりできるのです。自転車型トレーニングマシンに乗りながら（退屈になって）テレビを見たり新聞を読んだりするといったフォーカス視をすると，トレーニング能力を急激に下げてしまうでしょう。パノラマ視を応用すれば，能力は強化され，トレーニングへの集中力も高まるでしょうから，退屈しなくなります。

## ウォーキングとランニング

ウォーキングとランニングは誰でもなんらかのかかわりがある活動です。私はひまな時間があるとき，数年前にいつも走っていたのと同じ距離を走れるかどうか試してみます。私はこれを〈視覚システムから走る〉と呼んでいます。この際，私は意識的奥行き知覚を自分の動作に適用し，網膜でのパノラマ視を用います。こうすることによって，中枢視覚システムを通じて骨盤と脚をそろえることが可能になり，また，脳幹と脊髄が微調整されることによって，胴体上部と首と頭のバランスも良くなります。私にとってランニングとは，視覚システムを動作に応用したり，心身を同時にきたえたりできる最高の方法なのです。メガネやコンタクトレンズを着用するとパノラマ視を使わないことになり，腰と股関節を緊張させるだけでなく酸素摂取を妨げて

しまいます。上部視覚野と意識的奥行き知覚における積極的視覚化能力を視覚システムに応用すると，動作に相乗効果的関係が生じ，苦もなく一流スポーツ選手が到達するような精神状態にいたります。もしトップでゴールに飛び込みたいのなら，これが一番大事なことなのです（図7-18，7-19，7-20参照）。

図7-18　広がりすぎ型のウォーキング

### テニスとスカッシュ

ラケットを扱う競技者にとって，勝負を決めるのは素早く動けることと相手の微妙なプレイの変化に即座に反応すること，そしてスタミナと力です。脳—目—手—体の協調が，テニスとスカッシュにおける鍵です。ボールに対しては最小限の注意を払いながらゲーム全体をパノラマ的に把握する能力が，光受容器の桿体を機能させますから，そのおかげで手や体の位置を考えなくても全身がついてこられるのです。視覚的協調作用が，腕，胴体，体，脚がしかるべき位置にしかるべき瞬間にあることを可能にしています。選手はいつも「リラックスしながら注意は行き届き，自分がゲームをコントロールしている感じがしていました」と

図7-19　収縮型と広がりすぎ型のランニング

図7-20　パノラマ視を用いたランニング

いうコメントをします。腰，首，肩の痛み，テニスひじといった故障は，上部視覚野の両方のタイプに起こります。メガネやコンタクトレンズを着用すると反応が遅くなり負傷しやすくなります。というのは，この場合は視覚路が含まれなくなってしまうからで，それによって体とのつながりが失われてしまい，とくに鼠蹊部，腰，大腿，ひざとのつながりが失われます。

## 武　術

　太極拳，空手，テコンドー，その他多くの武術は，アイボディの原理を実践する活動として素晴らしいものです。なぜなら，武術は気づきと心身エネルギーの方向づけが必要であるため，視覚システムが容易に取り込まれるからです。残念なことに，武術家のなかにはメガネやコンタクトレンズを装着している人がいます。そんなことをするのは，視覚システムから周囲に向けて放射される生命エネルギーにふたをするようなものです。メガネやコンタクトレンズは，武術家が求めているはずのダイナミックなバランスや，力強さ，精神的気づきを損なってしまいます。太極拳の初心者が骨盤を前に押し出してしまうことがよくありますが，これは，ガラス体，網膜，脈絡膜，視神経のつながりにおいて，視覚システム内でくるいが生じているために起こります。これが，感情的，生理的，知的，霊的エネルギーの協調のバランスを損ないます。この場合，パノラマ視と注意深さ（フォーカスをしすぎることではありません）を含めることを，私はおすすめします。そうすれば，股関節と太ももとの関係のなかで骨盤がより自由に動くようになります。武術の達人たちを見ると，私は畏敬の念を抱いてしまいます。私にとって彼らは，視覚的気づきの，美しくダイナミックな感覚を体現してくれている人びとなのです。彼らは生涯にわたる修行を通して，こういったことを身につけたのです。

## ヨ　ガ

　ヨガとはあらゆるレベルで〈つなげる〉ためのものですから，そこに視覚路を取り込むのは，実践を深める素晴らしい方法です。身体的レベルにおい

ては，視覚路をゆるめることによって，体はより協調するようになり，また柔軟性も良くなるので，どんなアーサナ（姿勢）をとっても，均整がとれた力強い姿勢になります。とくに下部視覚野を解放（広がりすぎ型の場合）したり，網膜内でパノラマ視（収縮型の場合）をすることによって，片足立ちの姿勢が楽にとれるようになります。体ではなく視覚システムに導かれることによって，ヨガの感覚的快感と身体的不快感の両方に身をゆだねる過程がサポートされることになります。

　新皮質は，自信を喪失したり頭のなかでのおしゃべりを発したりする部分であり，ヨガの実践を邪魔したりだめにすることがあります。しかし，爬虫類の脳と辺縁系が調和された状態であれば，心を静かに保つことができます。この作業はとくにプラチャハーラ（一心集中）をする助けになります。内と外の世界を，より客観視することを可能にするためには，上部視覚野から見なければなりません。ヨガにおける究極の境地であるサマーディ（三昧）の居場所は，おそらく，上部視覚野であろうと思われます。上部視覚野を活性化させることを学習すれば，おのずから超意識の状態にいつでも臨めることになります（図 7-21，7-22 参照）。

図 7-21　収縮型のヨガ　　　図 7-22　意識的奥行き知覚を用いたヨガ

### セックスと愛

　視覚野が収縮している（網膜と脈絡膜が狭まり硬くなっている）人は，交合の過程や愛の繊細な側面よりもセックスの結果のほうに心をうばわれがちです。広がりすぎ上部視覚野と関係する習慣は親密な接触にあらわれ，脳がよそごとを考えてしまいます。肉体的接触があっても，感情的開放感がないとか，霊的存在感がありません。その結果は自分とも相手ともつながっていないことになります。視覚路は莫大な潜在的エネルギーをシステム全体にもたらしていますから，この接続を絶ってしまうと，愛を交わすというよりはセックスするだけになってしまいます。

　視覚システムを協調させることを学習することは，その気になれば愛のいとなみの一部とすることもできます。上部視覚野がうまくつながっており，かつ視覚システムもよく協調されているならば，セックスと愛が同時に存在し，また，調和します。これがとくに重要になるのは，パートナーの一方が広がりすぎ型でもう一方が収縮型であるときです。またこれは，愛の感情的な側面にもあてはまります。

　上部視覚野が反対傾向にある人たちの関係においては，片方の人が近すぎると感じ，もう一方の人が遠すぎると感じることが多いのです。ここでこそ視覚システムの協調が，自分自身の存在と自分のパートナーをあらゆるレベルにおいて統合する助けになるのです。すると，いっしょにいる経験が，肉体だけでなく，感情的，精神的，霊的レベルすべてをふくむことになります。

# 減量と食欲

　体重が増えすぎると，そのことで頭がいっぱいになりがちです。何を食べればよいか，食べてはいけないものは何であるかということについては，諸説があります。私たちは，視覚システムに取り組むことによって，自分の視覚的ボディ・イメージを変えることができます。視覚的ボディ・イメージが変わると，体は視覚システムからぶら下がって軽くなり，脳幹が解放され上

にあがってきますから，脊髄が自然に伸び広がります。視床と視床下部が効果的に機能するようになると，連動して脳下垂体と松果体もより効率的にはたらくようになります。それにしたがって，空腹感，体重の感じ方，消化機能の感覚，リンパ組織の感覚が協調されます。辺縁系は，感情のレベルや栄養が行き届いているという感覚を高める手助けをします。そうすると，何を，いつ，どれだけ食べればいいかを選択することが，より容易になります。体の声に耳を傾ける能力をもつようになると，つね日ごろ考えなくても，体にとって何がよくて何を避けなければいけないかということがわかるようになります。

## 二つのタイプの盲目

　1992年のことですが，私は少人数グループのワークショップの指導をしていました。そこに，サングラスをかけて白い杖を手にした少し背中が丸まっていて前屈み気味の女性が，息子さんに連れられてやってきました。息子さんはすぐに帰りましたが，その女性はワークショップに参加するため，2日間そこにとどまりました。そして2日後には，その女性はずっとたくさんのイメージを認知できるようになりました。私の手助けによって，彼女は背筋が伸びはじめ，若やいで背が高く見えるようになりました。彼女は，明らかに自分自身をより楽しめるようになっていました。2日目の終わりには，目隠しをしたパートナーを連れて，教室の隣にある庭を散歩するという練習をみんなでやりました。誰もこの庭に入ったことはなかったのですが，この盲目の女性の順番になったとき，彼女はみんなと同じようにパートナーを連れて歩いたのでした。私たちはみな，この女性のいともたやすく歩くその能力と，姿勢がまっすぐでバランスの良いことに驚いたのでした。彼女のこの能力に対して，私は賛辞を述べたのですが，彼女は無反応でした。
　午後になりワークショップが終了すると，息子さんが彼女を迎えにきました。その女性はバッグからサングラスを取り出し，息子さんから杖を受け取り，前屈みになりながら，会場から去っていきました。その後，彼女の消息

については何もわかりません。

　その日以来，私は，自分の人生を建設的に変化させたいという意思をあらわす人とだけ取り組むということを，心に決めました。私といっしょに時間を過ごしたあいだに，この女性が学習し認知してくれたことがなんらかの役に立っていることを，私は切に願っています。

　今度はまったく別の話をしましょう。ある日，片目に眼帯をした若い建築家が私のオフィスにやってきました。私はてっきり，視覚のワークショップを受けるためにやってきたのだと思ったのですが，実はそうではなく，彼は首の痛みをとるためのアレクサンダー・テクニークのレッスンを受けるためにやってきたのでした。数回のレッスンを重ねたあと，私は勇気を出して，目はどうなさったのですかと彼にたずねました。彼は，数カ月前にダイビング中の事故で片目を失ってしまったということを話してくれました。彼はこの事故については平気な様子で，目を失ってしまったことについてもすんなりと話してくれたのでした。私は彼に，視覚について取り組んでみたいのですがいかがでしょうかと，もちかけてみました。はたして彼は，あたかも失ってしまった目がまだあるかのように，気づきに視覚路を含めることができるのでしょうか。

　いざ取り組みはじめてみると，彼の姿勢はすぐに変化しました。とくに，彼の首の筋肉と頭の動きが即座に反応したのです。さらにレッスンを重ねたあと，彼は興奮しながら「事故の前まではゴルフをしていて，もう一度できるようになりたいのだけれど，目でボールを追おうとしてもうまくいかないんです」と言ったのでした。はたして私は，彼を助けられるのでしょうか。私は彼に，両目の視覚路を使うのと同じように，視覚野も使うことができますよと提案しました。すると彼は少しずつ，再びゴルフができるようになったのです。数年後，彼に再会したとき，彼は私に感謝をしてくれました。彼は今もゴルフを続けており，とても楽しくプレイしているとのことでした。

　おそらく彼は，事故にあう前にも視覚システムをとてもうまく使っていたので，使い方についての記憶が残っていたのでしょう。もし，もっと長い時間が経過していたなら，失明してしまった側を断絶するという新しい習慣が

ずっと強まってしまっていたでしょうから，古いパターンの記憶も失せてしまっていたかもしれません。彼は事故のことを平静に受けとめていたために，単に必要なことが何であるかということに目を向けるだけでよかったのです。そして彼は自分の意識と理解力を用い，新たに取り入れた片目の習慣を変更したので，状況を早めに改善することができたのでした。彼は，自分自身のために考える能力と，日常生活において変化を実行する能力があることを証明してみせたのです。もちろん，彼の眼球が奇跡的に再生することはありませんでしたが，今では現有の能力を最大限に活用することができるようになりました。自分のもてるかぎりの能力と，潜在能力を目一杯使うということが，私にとっては重要なことなのです。

# 夢

　日本での合宿のあと，ある女性が，夜に見る夢がずっと鮮明で色彩豊かになり，とてもはっきりと覚えていられるようになったと話してくれました。

　これはよくあることで，視覚システムの緊張をゆるめ，上部視覚野から方向づけすることを学習していると，夜になっても，同じようなプロセスが続くことがあります。視覚路内と視覚野の緊張をとくのと同時に，目の緊張もほぐすということは，就寝中の脳の再配線作業がより効率的にできるようになることを意味しています。

　毎夜寝ているあいだにおこなわれる脳の再配線作業について説明しましょう。たとえばコンピュータを思い浮かべてみてください。パソコンの電源を入れると，内部ではあらゆる種類の配線作業がおこなわれます。私は技術者ではなく使うだけの人間なので，そこで何が起きているのか知る由もありませんが，電源を入れて機械音を聞きながら１分ほどすると，突然に画面が表示され，それで私は仕事にとりかかることができます。これと同じようなことが，夜に私たちの脳のなかで起こっているのです。毎夜，私たちが眠りの各段階を経るたびに，脳は再配線の作業をしているのです。つまり，睡眠中に脳のハードウェア全体が新たに再配線されるので，睡眠をとること，そし

て睡眠に充分な時間をあてるということは大切なことなのです。日中に，意識的奥行き知覚を使うようにするといった視覚路への取り組みをおこなうと，夜の再配線作業に違いが出てきます。新しい視覚路が夜の再配線作業を促進し，また夜の再配線作業が視覚路を新たにする手助けをしてくれるのです。この学習作業に取り組んでいた生徒さんの報告によると，視覚システムに取り組むと，眠りが深くなり，夜にも朝起きたときにも，体が軽くなるそうです。

## その他の問題

　ここでは，アイボディ・メソッドの生徒さんによく起こる問題を紹介します。

### 目の外側の筋肉をきたえる必要はありますか？

　目の外側の筋肉をきたえても，部分的にしか役立ちません。目の練習はもしかしたら視覚改善過程の始まりとして役に立つかもしれません。害にはなりませんが，私の経験では期待していたほどの結果にはなりませんでした。はっきりとした視覚に戻るには内的変化が必要です。近視の場合の伸長された眼球と，老眼の場合の眼球前部の硬化（と収縮もあるときは遠近両用レンズ）についてお話してきたことの意味は，目の周辺筋肉をきたえても効果はほとんどないということです。目の内部と視覚システムの習慣をやめることを学習しないかぎり，目の外側の筋肉が根本的に変わることはありません。外眼筋はとても強力で，視神経の外鞘，蝶形骨に近いところから発しています（図2-2参照）。目の内部をゆるめることを学習すると，眼球そのものが内側からかたちを変えるだけでなく，自動的に外眼筋の動きも変化します。目の内側の筋肉に直接にはたらきかける練習運動もありますが，結局のところ，運動練習だけではシステム全体を統一的に再教育することはありません。

## 見ることにも種類があります

内的な見方，視覚路の微細な層の開発による霊的側面の発達について私が言及すると，がぜん興味を示す人たちがいます。このワークにやってくる人はみな，それぞれ異なった見方，かかわり方や関心があることを私は知っています。参加者には，良く見えるようになりたいとか，姿勢が良くなりたいという純粋に身体的な理由でくる人もいれば，感情的問題を抱えているためにやってくる人もいます。あるいは，頭脳明晰になりたいという人や，脳の機能を高めたい人もいます。そしてそのほかにも，見ることの霊的側面や直観力や内的ビジョンを高めたいという人もおり，それと同時に霊的導きの発展を求める人たちもいます。これらは，次に述べる原理を，生活に応用することによって可能になります。

何年も前に，私は何人かの優れた透視能力をもつ人たちといっしょに仕事をしたことがあったのですが，彼らはみな長年にわたる近視や老眼を抱えていました。彼らの傾向は内的ビジョンにフォーカスしすぎて，自分の肉体からも，周りの世界からも，切り離されていました。このため彼らはレンズに頼り，多くの身体的苦痛，不快感がありました。彼らは，心の内側にフォーカスしすぎる習慣を手放しさえすれば，感情的，身体的，知的な側面を包みこみ自分とつながることができたのです。彼らが〈感覚〉を手放すことができていたならば，彼らの透視能力はより洗練され，より繊細になり，彼らにとっても周りの人びとにとってもいろいろな意味でずっと健康的なものであったでしょう。

まずは視覚路の感情的，身体的，知的側面をマスターすることが先決で，そのあとで繊細に見ることのプロセスが開始できるのです。まず，つねに身体的視覚路に戻るということがきわめて重要です。これは，体と同一視しないようにしながら，それと同時に地に足をつけたままでいるための唯一の方法です。

私のインドでの経験（第1章に既述）もこれと同じでした。もう一度あのときと同じように見たいという欲求を手放すことによって，ようやく私は自

分の視覚路の内部へと入り込めるようになり，少しずつ彼岸へと，はっきり
と見えるほうへと向かうことができたのでした。より良いものを求めるのな
ら，ときには大切な思い出を手放さなければならないのです。私にとって，
それはインドでの経験の感覚を手放すということでした。そうすることに
よって，私は一歩ずつそこへ近づく方法を身につけ，そしてさらにその先へ
と進むことができたのでした。自分自身を方向づける能力のほうが，結局は
実際の経験よりもずっと大事なのです。それによって，内部状態が外的状況
に左右されることがなくなるのです。経験というのはいつもさまざまに異な
るものですが，意識的奥行き知覚を応用するということは不変です。これを
別の言葉で言いかえると，原理を学習し応用することのほうが，つねに変わ
り続ける経験よりも重要だということです。

## 瞑想と視覚路

　多くの人が，瞑想中は身体的に不快だと言います。私も，過去に自分が瞑
想したときのことを思い出してみると，じっと座っているときの痛みと不快
感がよみがえってくるようです。自分の視覚路にとどまったままで，瞑想中
に上部視覚野から視覚システム全体をくまなく方向づけるという方法を発見
し，その方法を発展させるようになってからは，苦痛も不快感も消え，気が
散ることもなくなりました。瞑想を始めて1時間ほどすると，目，視覚，姿
勢，精神的注意力が明快になり，集中してきます。このように，瞑想が容易
で楽しいものになり，苦痛をともなうこともなくなります。

　私は，意識的の奥行き知覚を応用できるようになる手助けをすることによっ
て，一人ひとりの精神的修行を援助します。こうすることによって，自分で
自分の体や視覚を管理できるようになり，内的時間をもてるようになるの
で，日常生活のなかで精神的実践へ向かうことができるようにもなります。
原理を応用することによって，座っているあいだ，脳幹内部の芯と脊髄のバ
ランスがより良くなります。そのおかげで，心地よく平和でバランスがとれ
ているという感じを，瞑想中も維持しやすくなるのです（図7-23，7-24，
7-25参照）。

図 7-24　収縮型の瞑想

図 7-23　意識的奥行き知覚を用いた瞑想

図 7-25　広がりすぎ型の瞑想

## 死，そして死にゆくこと

　日本で，生徒さんの一人からこんな質問を受けました。「私は禅を 10 年以上やっています。修行がうまくいっていると，頭蓋後部の背後と上のほうからつながっているような感じがするんです。そうすると，自分がまちがいなく自分の体につながっていて根をおろしているように感じられます。このことについてなにかコメントいただけますか？」

　頭蓋の後部と，後ろから上にかけては上部視覚野と密接につながっています。そこから私の意識的奥行き知覚を導きます。そこを「戸口」と呼ぶ人もあり，物質を超えた導きとつながるところでもあります。私たちが死ぬとき

は，ここから出て行くのかもしれません。私の視覚路をここから方向づけると，私はただちに肉体を取り戻し，自由になります。

　もし私たちが主に前頭葉を使い続け，爬虫類の脳と辺縁系が収縮したり広がりすぎているとしたら，死ぬときに未解決のままの感情や視覚的イメージをひきずっていきます。私たちは生きてきたように，死ぬのです。私たちが上部視覚路とつながって生きてきたのならば，上部視覚野を通って，この戸口を出たり入ったりできるのです。肉体を離れながらも，離れる過程を意識できるのです。私は視覚路全体を解放し続け，死の過程においてまったく自由で，未解決の感情の荷物なしに，離れていきたいものです。私が目指すのは今この取り組みを始め，私が死ぬときにはまったく準備ができていることです。

## 自分のめんどうをみる

　自分自身のめんどうをみることを学習したり，自分の視覚にこんなに手をかけるのは，贅沢なことであると思われるかもしれません。しかし，この取り組みはいろいろな意味でけがを予防するための基本であり，不可欠なものなのです。たとえば実際のところ，もしもっとたくさんの人が，自動車の運転にパノラマ視を応用する方法を知っていたならば，多くの事故を防げたはずです。パノラマ視をすると網膜の桿体が刺激されるので，体が即座に反応できるようになり，それは，より早く，正確に，効率的に反応できることでもあります。

　自分自身のめんどうをみるということは，つまるところ，直接的にも間接的にも自分の身近な人のためにもなります。内的視覚を自分の気づきに含めるということは，パートナーや子どもたちのためになるばかりでなく，社会のためにもなります。なぜなら，この取り組みは，どうすることが周りの人にかかわったりコミュニケーションをとるのに最善の方法なのかということや，必要に応じて他人に配慮する最善の方法を理解する助けになるのです。つけ加えて言うと，自分自身の健康全体に注意することが，自分の身近な人のためになるということは明白なことです。これは，自分の愛する人の看病

をしたことがある人にとっては言わずもがなのことでしょう。古い感情の記憶をやめることを学習すれば，自分自身の内面の状況や，自分の周りにいる人たちとの交流をさかんにすることができ，みんながその利益を享受できるようになります。

## メガネを壊されたおばあさん

ロンドンで私は最近，老眼鏡が壊れてしまった81歳のおばあさんの話を聞きました。彼女は40代のころからメガネをかけていたのですが，80代を迎えてまもなく，孫娘——この話を私にしてくれた女性——に，ふとしたことでメガネを壊されてしまったのでした。しかしこのおばあさんは新しいメガネに取り替えることもせず，93歳で死ぬまでの12年間，メガネも何もなしで，裁縫から読書から編み物までをこなしたそうです。

元気づけてくれる話がもう一つ，スイスでありました。老眼鏡を50年間かけ続けていた女性の話です。彼女の百歳の誕生日のとき，届いた何枚ものお祝いのカードに彼女は興奮してしまい，メガネをかけることも忘れて全部を読んでしまったのでした。その日以来，彼女はメガネに手を触れることもなくなり，何もつけずに読んだり細かい作業をしたりできたそうです。

自分を変えるのに，遅すぎるということはありません。何歳であっても，変化を達成することはできます。ここまで私たちは，生活のさまざまな側面における，体と目との関係性について，そして，より良い結果を生むために，視覚システムを取り込むことができるということについて見てきました。アイボディ・メソッドは，日常生活に容易に取り入れることができるものであり，それ以外に目的はありません。次章では，変化への過程をどのように始めたらよいかについて説明します。

第**8**章　最初の一歩

　最初の一歩は，自分の癖に気づき，視覚システムに気づきをもたらすことです。この過程では，メガネやコンタクトレンズ（137頁）を装着する癖をだんだんに減らしていきます。ピンホール・メガネを使って，周辺部の光受容器を活性化させ，視覚野の緊張がゆるむことを思ったり，自分でできる視覚的活動があります。

## メガネを外して視覚システムを強化しましょう

　ときどきメガネを外すようにしてみると，いつほんとうにメガネが必要なのかということがわかるようになります。いつかける必要がないのかということに，気づくことから始めましょう。たとえば，近視なのでメガネをかけているのであれば，近くのものを読むのにかける必要はありません。メガネを外して実験してみましょう。老眼や遠視の場合はメガネなしでも遠くのものが見えるはずですから，散歩をするときなどは外すようにしましょう。ほんとうに必要なときはいつですか。なくてもすませられるのはいつですか。多少ぼやけていてもかまいませんね。何もかもがつねにはっきりと見えていなくてはならないという考えにまどわされないでください。必要なときはメガネをかけましょう，ほの暗いところで読むときや，自動車を運転するときなど。ときどきメガネを外すようにするだけで，習慣的パターンから抜け出せるようになりますが，力をいれて見ようとしたり，目を細めて見るという習慣は残るでしょうね。

　ワークショップや個人レッスンで，メガネをかける習慣を変えるプロセスはどうしたらよいのか，という質問をよく受けます。私はたいてい，メガネ

やコンタクトレンズを手放すということと，視覚システム全体を使う方法を学習することを組み合わせたプログラムを立てます。私が生徒さんに手を触れて指導できないときは，ほんとうにメガネをかける必要があるのはいつなのか，という疑問を自分自身に投げかけることから始めてもらいます。

　レッスンの際，私は，参加者が新たな解決法を発見し，異なる選択肢を選べるような指導をします。レッスン中，私がしばしば気づくのは，「私にはできない」という気持ちや感情のほうが強くて，「私は視覚システムを方向づけ直して，はっきりと楽に見えるようになる」という気持ちや感情を圧倒していることです。「私にはできない」は本来，私の信念体系の一部ではなかったはずなのですが，再びメガネをかけるようになってしまう人の場合，この思考パターンが邪魔をしているのかもしれません。私が教えるときには，この反生産的思考形態に直接はたらきかけます。このことの重要性は過小評価できません。

## 移行用メガネ

　近視，老眼，遠視のために処方されたメガネの度を弱くすることは，メガネをかける習慣をやめるための良き一歩となります。度を弱めると中心窩の空間に余裕ができるので，中心窩が効率的にはたらくようになり，また本来の機能を発揮できるようになります。ほどよく弱められた度のメガネをかけていても，合法的に運転すること（近視の場合）は可能です（編集部注　日本の普通自動車免許の場合は一眼でそれぞれ0.3以上，両眼で0.7以上の視力が必要）。遠くの小鳥がはっきりと見えなくなるかもしれませんが，運転中にそれが見える必要はありません。

　メガネをかけると，集められた光線が目の内部の微妙な動きを抑制してしまいますが，度を弱めることによって，中心窩の中心部へ光線が強烈に集中するのではなく，もう少し中心窩の縁のほうへ光線が向かうようになります。これによって脳のはたらきに，より多くの自由と余裕があたえられます。思い出していただきたいのは，私が，必要な度より25パーセント弱い

移行用メガネをかけてから，たったの1週間で，そのメガネではっきりと見えるようになったということです（この期間は人によって異なりますし，また状況にもよりますので，変化がゆっくりと進行したからといってがっかりすることもありませんし，変化が急激に進んだからといって驚かないでください）。

# ピンホール・メガネ
## ——はっきりと見ながら視覚システムを内側から訓練する——

ピンホール・メガネとは，黒いプラスチックにピン先ほどの穴が開けられたメガネです（図8-1参照）。この一定の大きさの穴が，光線を中心窩に到達させる手助けをします。その中心窩から錐体光受容器によって送られたメッセージが，下部視覚野ではっきりした映像を生じさせます。つまり，通常の度が入ったメガネをかけているのと同じ効果があるのです。これに加えてもう一つ，黒いプラスチックで見えなくなっている部分が，網膜の縁の部分にある光受容器（暗いところで使われる桿体）の90パーセントを刺激する助けになっています。ここからは視床と上部視覚野に情報が送られているのです。ということは，周辺視するのに欠かせない部分がすべて刺激されているということになります。

ピンホール・メガネをかけて，読み書きをしたり，コンピュータを操作したり，テレビや映画を見たり，散歩をしたりと，さまざまな活動をすることができます。こうすることによって，よりはっきりと見えるようになり，また視覚システムを内側から訓練するこ

図8-1　ピンホール・メガネで読書する

とができるのです。ときには公園や浜辺でかけてみるのもよいかもしれません（運転に必要な早い反応ができないかもしれないので，運転中は着用を避けてください）。

　視覚的な疲労の度合いによりますが，収縮型上部視覚野の人の場合は，この穴がとても小さく見えるかもしれません。網膜の能率が上がり，より多くの周辺視的光受容器が反応するようになると，穴が大きく見えるようになります。メガネの左右それぞれに一つの穴が開いているように見えるようになり，すべてがとてもはっきりと見え，輪郭もくっきりと見えるようになるでしょう。

　私がピンホール・メガネをかけた当初は，穴を通して見ることができず，めまいがしました。それでも私はへこたれずにかけ続けたので，何週間かすると網膜が変化しはじめ，桿体がより刺激され，活性化されるようになりました。着用したときの感じがまったく違うものになり，メガネをかけたときと同じようにはっきりと見えるようになったのです。穴がだんだん大きく見えるようになりました。これは網膜が充分に機能していることを示していました。はっきり見えるようになった今でも，私はときどき，内部の訓練のためにピンホール・メガネを使用しています。

　ピンホール・メガネを使いはじめてまもないころは，着用しすぎないようにしてください。最初は 5 分から 10 分くらいにしておきましょう。何ごともそうですが，ゆっくりと始めることが大事で，少しずつ着用時間をのばすようにしましょう。使用していると感情的に不快な感じがすることもありますが，網膜が良くなるにつれて快適な感覚も増えますから，気を取り直すようにしてください。

　すべてのピンホール・メガネが同じではありません。ピンホール・メガネには，いろいろなつくりのもの，ブランドがあり，良いものも良くないものもあります。穴が小さすぎると充分な光線が網膜に到達しませんし，大きすぎると光線が黄斑の外側の縁に届いてしまいます。私がおすすめするのは，四角い穴のものではなくて丸い穴のものです。網膜は丸いからです。そしてプラスチック製のものを使用するようにしてください。ガラス製だと光線を

屈折させてしまい，網膜に違った効果をあたえてしまうからです（信頼できるピンホール・メガネについては，巻末をご覧ください）。

ピンホール・メガネ着用時には，網膜の周辺視をする部分から気づきを発展させること，そして最終的に見るのは目ではななくて，脳なのだということを思い出してください。これを忘れなければ，ピンホール・メガネを外したときに，根本的な違いが，あなたにもたらされるはずです。

## アイボディ・メソッドの学習段階

このプロセスを学習するにあたって，三つの段階があります。第一段階では，フォーカス視とパノラマ視を区別することを学習します。第二段階においては，意識的奥行き知覚を使うことによって視覚路を体感し，今までの見方の習慣を変えます。第三段階では，意識的奥行き知覚を視覚路に応用し，さらにこの応用を生活環境にまで広げます。第二段階全般，そして第三段階の初めにおいては，教師が必要です。第一段階については，一人でも練習できることがありますので，それについて紹介します。

第一段階とは，パノラマ視とフォーカス視の違いを知ることです。これはとくにメガネやコンタクトをつけている人にとって重要です。メガネやコンタクトは，はっきり見ること以外のすべての道を閉ざしてしまうからです。フォーカスすることの周りには根強い習慣があります。これは一人でも経験できます。

パノラマ視は，パーミングや目のひなたぼっこ（これらの方法については141-144頁を参照）に応用できるだけでなく，この本を読んでいるときにも応用できますし，日常生活のさまざまな場面においても応用できます。ただし，この手順で進行させたとしても，協調作用全体を取り込むことはできませんが，初歩として役に立つ方法ですし，また必要な段階でもあります。

大事なことは，一歩一歩進むことです。山頂へ向かうとき，そして無事に下山するときにも，そうするのが一番楽な方法なのです。

ここでは自分のやったことを記録しておくことをおすすめします。記録を

とることは，気づきを高めるためにも，自分の進歩の足取りを確認するためにも良い方法です。

# 第一段階：パノラマ視

　上部視覚野が広がりすぎ型の場合と収縮型の場合では，それぞれタイプ別のアプローチが必要ですが，最終的には同じように視覚システムの統合に到達します。ですから，あなた自身のタイプに則した方法を選ぶようにしてください。もしあなたが，視覚野の片側が広がりすぎ型で反対側が収縮型だという場合（片目が近視で，もう片方が遠視の場合）は，最初に広がりすぎ型の手順をとり，それから収縮型の手順を実行するようにしてください。

　私が言うフォーカス視とは，主として中心窩（網膜の中心）を使用することを指しています。そこには光受容器の約10パーセントが集まっています。そしてパノラマ視とは，中心窩を取り囲むようにしてある網膜を使用することを指し，ここには光受容器の残りのすべて，90パーセントの光受容器があるのです。網膜の周辺部分は，対象物に100パーセントでフォーカスしているときには，刺激されません。また，処方されたメガネをかけているときも，パノラマ部は刺激されないのです。

　次に述べる練習方法は，フォーカス視とパノラマ視を区別できるようになるためのものです。やがては二つの方式を日常生活で使い分けられるようになりたいものです。

## 収縮型の練習方法

1. まず，メガネやコンタクトレンズを外してください。ぼやけた世界へようこそ！　私が初めて自分の意志でメガネを外したとき，10センチより先が見えなかったということを思い出してください。ですから，あわてないことです。

2. この本の本文がちょっとぼやけて見えるように，持ってみます——変な感じがするでしょうね。安全で，気楽なところでやってみましょう。困惑す

るような，変な，不安なような気持ちになるでしょう——ということに気づいてください。よろしければ，周りの人に，いま私は自分の目と視覚の訓練をしているのだと知らせておきましょう。

3. 目の内部に注意を向け，心のなかで網膜の奥深くへと，さらにそれにかぶさっている脈絡膜の層のなかへと入り込んでいきましょう。網膜は眼球の内張りをしている層で，眼球の後ろから前方の瞳孔まで球状に続いています。光受容器が何層か重なってできているのが網膜で，脈絡膜はすぐ後ろにあります。パノラマ視の感覚を網膜のなかから感じてみましょう。脳の後方から始めて，網膜と脈絡膜が三次元的に広がり，目の前方にある瞳孔にまで到達していることをイメージしてみましょう。30秒から1分ほどこの練習をしてください。考えることによって網膜と脈絡膜が広がります。練習中に自分が，感情的，身体的，知的にどう感じているかということに注意するようにしましょう。

4. このページのどこかの部分をフォーカス視します。フォーカス視だけするようにしてください。感情的，身体的，知的に，どのように感じているかに注意しましょう。

5. 今度は最初に30秒間パノラマ視をしてください。それからページに戻ります。

6. これらの違いについて注意し，気づいたことについてメモをとりたければ書きとめてください。どんな感じがしたでしょうか。自分の体について気づいたことはあったでしょうか。目についてはどうでしょうか。感情的にはどう感じていたでしょうか。どんな知的態度でしたか。

7. これらの指示を読みながらパノラマ視をしてください。それから30秒したら，言葉とつながりながら上部視覚野への気づきを含めます。どんな感じがするかに注意しましょう。


網膜と脈絡膜の内側からパノラマ視する練習を，この本を読みながらでも，歯をみがきながらでも，食事しながらでも，日常生活でも頻繁におこなうことをおすすめします。このように日常生活にもち込むようにし，そして

もち込んでいないときはいつであるか，にも気づいてください。パノラマ視するときと，しないときの違いに気づくようになってください。

## 広がりすぎ型の練習方法

1. これに該当するのでしたら，まずはメガネ（老眼鏡も）やコンタクトレンズを外してください。
2. 下部視覚野に気づきを向けます。だんだんと下部視覚野を考えるようにして，そこから見るようにします。不必要な緊張がほぐれていくのを感じるかもしてません。ゆっくりと時間をかけます。感情的，身体的，知的にどんな感じがするかに注意を払いましょう。
3. 今度は，この本のイラストを一つ選び，一生懸命にフォーカスします。ページのすべての詳細と背景のすべてを気にします。感情的，身体的，知的にどんな感じだか気づいてください。
4. それをやめて，もう一度イラストを見ます。今度は下部視覚野での強烈なフォーカスをやめます。ゆるい目つきになってもよろしいですよ。
5. 違いに気づき，よろしければ書きとめておきましょう。いかがでしたか？自分の体について何か気がつきましたか？　目について何か気がつきましたか？　感情的にはいかがでしたか？　知的態度はいかがでしたか？
6. 強烈なフォーカスをやめて，日常の活動において下部視覚野を考えることにしましょう。とくに対象物，人物，出来事が近づいてくると何が起こりますか？

# パーミング

　パーミングすることによってパノラマ視が刺激され，眼精疲労もやわらぎます（図 8-2 参照）。

## 収縮型のパーミング

1. 閉じたまぶたを手のひらでおおい，光が入らないようにします。

図8-2　パーミング

2. 網膜の後ろから瞳孔にかけての網膜の内側で，パノラマ的な空間をイメージします。これをイメージするためには，ゆっくりと時間をかけて考えてください。

3. 網膜の外側にある脈絡膜の層が血液で満たされていて，それが少しずつ前へと動き，鋸状縁をすぎて瞳孔に到達する，というイメージを思ってください。これもあわてずに時間をかけてください。

4. 次にガラス体へ注意を向けます。ガラス体とは，眼球内部を満たしているゼリー状の液体のことです。こうすることによって，ガラス体液が活気づきます。

イメージすることによってガラス体を動かせるようになることにも気づきましょう。このガラス体でもって，眼球を目の奥（近視の場合は眼球が縦長になっています）に触れさせてみましょう。そうするとガラス体が水晶体から離れるので，網膜の周囲全体を支えるためのスペースができます。

5. このパーミングと，目のひなたぼっこ（次節）を交互に 2，3 分ずつおこないます。

## 広がりすぎ型のパーミング

1. 閉じたまぶたを手のひらでおおい，光が入らないようにします。

2. 下部視覚野に注意を向けます。そうすると，少しずつパノラマ視が下部視覚野から浮き上がってきます。過度にフォーカス視することをやめることによって，不必要な緊張がほぐれていくことに気づくでしょう。ゆっくりと時間をかけるようにしましょう。パーミングをしながら，これをすることの意図を何回も思い返します。

3. このパーミングと，目のひなたぼっこ（次節）を 2，3 分ずつ交互におこないます。

# 目の〈ひなたぼっこ〉は網膜全体・視床・視床下部を刺激する

　目のひなたぼっこの目的の一つは，視床と視床下部，そしてそれらの各腺を刺激することにあります。ひなたぼっこをする際には，閉じたまぶたから手を離し，頭をやさしく左右に振って顔を太陽に向けます（図8-3参照）。太陽に顔を向けるのが理想的なのですが，それが無理な場合は，かわりに電灯などの光源に顔を向けます。この間，まぶたはずっと閉じていてください。頭（すなわち閉じた目）を光に向けるとき，がまんしたり閉じた目を硬めたりしない程度にしておいてください。光線過敏症の方は，すぐには多量の光線に向けられないかもしれませんが，少し続ければすぐに変わってきます。

## 収縮型のひなたぼっこ

1. 上部視覚野から見てほしいことは，太陽光線が網膜の内側にある周辺視野の光受容器を刺激しているということ，そして網膜の後ろにある脈絡膜が前部の瞳孔にいるまで液体で満ちてくるということです。

2. ひなたぼっことパーミングを交互に，それぞれ2，3分ずつ，2，3回繰り返しおこないます。

## 広がりすぎ型のひなたぼっこ

1. まぶたを閉じて，太陽に顔を向けながら，下部視覚野をイメージします。そしてそこに日光が入って来ることを考えます。ゆっくりと時間をかけてください。まぶたを閉じていても，光が目に入ってきていることに注意を向けましょう。

図8-3　目のひなたぼっこ

2. ひなたぼっことパーミングを交互に，それぞれ2，3分ずつ，2，3回繰り
  返しおこないます。

## 視覚システムの筋感覚を洗練させる

　私たちはすべて骨と組織と筋肉で体がつくられているのと同時に，アイボ
ディ・パターンと上部視覚野のタイプの影響を受けています。これは文化や
社会経済的地位や幼児期のしつけとは関係なく，私たちはそれぞれ独自の存
在なのです。

　私たちはみな，考え方も見方も感じ方もどこか違いますから，個人個人に
応じたアプローチをすることが不可欠です。原理に基づいた手順による指導
が，自分と自分のメカニズム全体とをつなげるためには不可欠であり，そう
することによって，学習を自分特有の視覚システムと状況に適応させること
ができます。

　思い出してほしいことは，習慣とは長年にわたってつくられるものであ
り，習慣になってしまっていると自分で認識できないことも多いのです。つ
まり，習慣が基準になってしまうのです。ですから，習慣と異なることは何
でも，とても特異なこととみなしてしまいます。というわけで，順序立てら
れた指導が必要なのです。

## 結　び

　メガネやコンタクトレンズを完全に手放し，視覚システム全体を目覚めさ
せるための各段階は，視覚路の感覚の発達と，日常生活での見るプロセスの
発達と連動しています。体と目は自動的に，視覚システム機能と協調作用の
高まりに従うようになります。どのようにメガネを使うか，そして，いつメ
ガネをかけるのかを決めるのが第一段階で，次に必要であれば補助的に移行
用メガネをかけることがあります。ピンホール・メガネを使用して，網膜，
そして視床への通路を刺激することも可能です。それをしながら，ものがよ

りはっきりと見えてきます。

　〈パーミング〉と〈ひなたぼっこ〉という視覚の活動を交互におこなえば，光受容器の機能を調和させ，視床への通路を開き，目と下部視覚野における内的な気づきを高められます。ただ，これはまだ始まりにすぎないのです……。

# 第9章 今後の可能性

　メガネやコンタクトレンズを着用すると，私たち本来のままの自分を変えて，可能性を限定してしまいます。さらには知らず知らずのうちに，脳のはたらきにも微妙な影響をあたえます。したがって，身体性に対して，また各器官や神経組織のはたらきや，感情的行動や知的プロセスに対しても影響をあたえています。にもかかわらず，私たちはどんな影響がおよぶかということを考えもせずに，メガネをかけてしまっています。

　私たちが生来もっている内なる知恵にちょっと触れるだけで，収縮型あるいは広がりすぎ型のいずれの場合であっても，自分の視覚路を協調させることを学習することが可能になります。インドでの経験のおかげで，私は自分自身と自分をとりまく世界を，まったく違う方法で見ることができるようになりました。そして，この見ることへの高まった気づきが，突然に失われたことをきっかけにして，私は視覚について自問するようになったのです。そして，発見した新しい技術を，日常生活での見ることへ応用することを学ぶようになりました。このおかげで，私はメガネをかける習慣から解放され，自分の視覚システム全体の機能を一歩ずつ改善できたのです。これによって私が深い安心感をもって理解できたことは，完全に見て完全に機能する能力は私に本来備わっていたのだということです。あなたもこれを経験できるはずです。

　私は，この取り組みにおける自分自身のプロセスと進行状況を，仔細に微妙に観察してきました。ひょっとしたら，角膜が胸部とつながっているという最初の小さな体験は見落としてしまっていたかもしれません。しかし，良い精神状態で良い瞬間に居合わせたことによって，私はこの一見些細な出来事の重要性に気づきました。これが，私の知的な世界観と，内部での気づき

を永遠に変えてしまいました。こうして目と体との関係についてますます興味を抱くようになり，広範に実験を重ねた結果，この関係がはっきりと見えるようになったのです。

　何年もの実験によって，私はますます微妙な関係が脳と目と体のあいだに起こることに気づくようになりました。私はだんだんと，自分の脳へ入り込むための通路を発見するようになり，この通路を刺激して自分全体の機能を高められるようになってきました。また，視床の機能も視覚システムに直接つながっているということを実感したことにより，私たちが感情的・生理的・知的・霊的に健全であるかどうかは，視覚システムが最大限に機能しているかどうかに左右されるという理解に達しました。このための鍵となるのが，上部視覚野における意識的奥行き知覚なのです。

　ときどき，これはもしかしたら私の頭のなかにだけ起きていることではないかと思うこともありました。はたして，ほかの人たちもこれを学習することができるのだろうか，私はこの手順を明快に伝えることができるのだろうか，ほかの人たちの気づきの状態がどの程度であるかが私にわかるだろうかという疑問が生じました。答えはイエスでした。こうして，みなさんとアイボディ・ワークに取り組みはじめて私が実感したのは，私が発見したことは一般化することが可能であり，私が自分におこなったのと同じ方法で，みなさんも自分の視覚システムにはたらきかけることが可能であるということでした。年齢を問わず，このワークの助けによって，メガネを手放せるようになり，視覚路と体に緊張が蓄積することを予防し，機能と協調作用をより良くするための新しい通り道を開くことができるようになるのです。私自身も学習しながら，こういったことを教え続けているうちに，このアイボディ・ワークの領域は，私が予想していたものよりもずっと広い範囲にわたるものであることに気づきました。

　もしも早いうちから，子どもたち自身がパノラマ視につながるように教育できれば，より良い協調作用をもち，疲れにくく，より社会的気づきをもつことができるような成長を，子どもたちにうながすことになるでしょう。内側から学習する能力や，視覚化する能力は，子どもたちに秘められた可能性

を，目一杯に発揮させる手助けをしてくれるはずです。この過程を子どもたちが経ることによって，子どもたち自身が幸福になるだけでなく，彼らの周囲の人も幸福になることでしょう。

　私たち人間は一人では生きていけませんから，自分の視野を個人から家庭，職場，学校，自分が住んでいる地域，さらには国家的・国際的環境，人類全体にまで広げる必要があります。

　私にはめんどうを見なければならない環境が，二つあります。それは私の内部環境，そして目前にある周辺環境です。上部視覚野からの意識的奥行き知覚を用いるならば，私は両方の環境のめんどうを，よりうまく見ることができます。たとえば，私が5人のグループ，もしくは5千人の聴衆を相手にしなければならないとします。その場合，私はまず自分の内部に注意を向けます。私は上部視覚野に戻り，全体的協調作用と方向づけ，そしてインスピレーションを得ます。そうすれば脳幹と脊髄のめんどうを，そのプロセスを邪魔することなく，見ることができます。私は自分の視覚システムに同調し，目のすべての部分——そして脳のすべての部分と体のすべての部分——が効果的・効率的に機能できるようにします。このあとではじめて，私は外界，部屋，聴衆を取り入れることができるのです。この場合，パノラマ視を用いることで外部環境全体を見渡せるだけでなく，細部にまで注意がいきます。この場合の状況についても，さまざまなことが考えられます。相手が，騒がしいティーンエイジャーであったり，死の床にある自分の祖母である場合もありますし，重要な決定を下さなければならない会議である場合もあります。状況というものは刻々と変わるものですが，原理とプロセスは同じものが応用できます。まずやらなければならないのは，自分自身に注意を払うことの学習であり，それから自分の置かれた環境をパノラマ視に取り込み，今ここにいましょう。

　あなたがこのアイボディ・ワークを始めた理由はどういったものでしょう。メガネやコンタクトレンズを使うのをやめて，裸眼ではっきりと見れるようになりたいという理由でしょうか。それとも，健康改善のためであるとか，目と体の緊張をゆるめたいとか，感情的つながりを深めたいとか，知的

に明晰になりたいとか，自分の霊性とつながりたいとか——理由は何であれ，視覚システムを協調・統合し，さらにその視覚システムを効果的かつ効率的に使えるようにしてくれるこのアイボディ・ワークは，あなたの目標達成の手助けをしてくれます。たぶんあなたが想像していたものとは違うほかの可能性もあらわれ，あなたの人生の質が豊かになっていくかもしれません。

　私にとってこれは，広遠な可能性と恩恵を，個人に，そして広く社会にももたらすための，人間発達の最前線での新たな取り組みの始まりにしかすぎません。この有機的に発展していく発見の過程と学習と教育の方法はいまだ完成途上にあります。アイボディ・パターンの本質についての理解をより深める作業の進展は，これから始まるのです。

　この原理の日常生活への応用という点については，応用できる範囲も応用できることにも限りがなく，無限です。私の人生の質は改善されました。明晰さが増し，健康が促進され，自分の内外の環境に対する気づきも高まりました。これらはすべて，メガネやコンタクトレンズやレーザー手術なしでなされました。同じ方法で受けることができる，この恩恵の可能性を，私はあなたにもお届けしたいのです。

　あなたの人生で今までなさってきたことを変える必要はありません。ただそのやり方を変え，これまで述べたようにその方法を高めるだけです。また，今まであなたを助けてきたさまざまな方法論，たとえば，瞑想，心理療法，クラニオ・オステオパシー，ヨガ，アレクサンダー・テクニークといったものをやめることはありません。読書や歌唱やランニングやサイクリングなど，楽しんでやっていることがあれば，それを続けるようにしてください。

　本書に書いてある原理を応用することを学習し，何が変わったかということに気づくようにしてください。視覚システムが適切に機能していれば，何をやっても容易にできて，楽しさが増すということに気づくはずです。さらには，何をするにしても全般的に効率と効果が上がっているということにも気づくことでしょう。

視覚システムがもつ知性は，私たちがどんなことに従事していても利用できます。たとえまぶたを閉じていようが，眠っていようとも利用できるのです。この知性の存在を無視することもできますが，それでは内面の自由を獲得する助けにはなりません。本書に述べられた原理を何ごとにおいても首尾一貫したかたちで応用すれば，その結果として協調作用は改善され，効率が上がり，心の注意深さが増し，コミュニケーションが明快なものになり，自分の内部と外部の環境が良くなることでしょう。そして最終的には，今この瞬間に，ほんとうに存在しているということが，喜びとなるのです。

# 第10章 最新の発見

アイボディ・メソッドは長年のあいだに進化し続けてきました。この本が初めて出版されてから，今も絶え間なく進化しています。この章では，新たな発見についてみなさんにお伝えします。この章に書いてあることがこれまでの実践をさらに実り豊かなものにし，支えとなることでしょう。私にとって視覚システムの可能性は無限で，その理解は深まるばかりです。

## 考えの集中と下部視覚野

私たちが集中について考えようとすると，たいていは視覚的に焦点を合わせることを思ってしまいます。目はピントを合わせます，カメラはピントを合わせます，それによってぼけて見えたり，はっきり見えたりします。また，焦点を合わせるという言葉で精神的な集中を指す場合もあります。焦点を合わせるというはたらきが下部視覚野にあるというのは，単なる偶然でも，たとえでもありません。一瞬一瞬の経験という現実なのです。なんらかのフォーカスは四六時中，起きています。私たちの視覚脳と同様に，フォーカス機能のスイッチはつねにオンに入っています。鳥の声，バラの香り，身体の痛み，目の前の道路など，フォーカスはいつでも何かに向くものです。そして一つひとつの思考，動作のみならず，感情や記憶さえ，なんらかの精神集中がともないます。

精神集中は下部視覚野の機能です。第2章にあったように，視覚脳はつねになんらかの仕方で動き続けているようです。この活動的な状態で生じる動きの一つが，焦点を合わせるという動きです。どんな状況においても，ある程度の注意，フォーカスは必要です。読書にせよ会話するにせよ，また散歩

するにしても，その状況での欲求をうまく満たすために私たちはある程度の精神集中を用います。私たちは集中の度合いを意識的に調節していません。そうではなくて集中は習慣的に生じるのです。場合によっては，適切に必要なだけ集中するのが困難なときもあります。あることをなしとげるのに集中しすぎたり集中不足になったりします。きっと誰もが経験していることでしょう。

　一人ひとりの上部視覚野には生まれつきの傾向として，広がりすぎ，もしくは収縮という傾向がありますから，そのために私たちはフォーカスしすぎ，もしくはフォーカス不足のどちらかになります。上部視覚野の状態がどれほど視覚システムのほかの部分に影響をあたえているかは，すでにお伝えしました。集中は下部視覚野で起こる，つまり視覚システムの機能ですから，最終的には上部視覚野の状態に左右されます。上部視覚野が脳全体と視覚システムの協調をとっていなければ下部視覚野も方向づけを失い，協調がとれない状況に取り残されてしまいます。そうなると使えるのは下部視覚経路のみで，それでも場合によっては明確に見える可能性はあります。ですが方向づけがないため，下部視覚野，すなわちフォーカス状況ははたらき過ぎとはたらき不足の両極のあいだを行ったり来たりし，バランスがとれない状態が続く傾向があります。こうして私たちは習慣的に，すべての行為においてフォーカスしすぎとフォーカス不足のあいだを行ったり来たりして，その中間の状態でいるチャンスは得られません。

　上部視覚野の協調作用が欠如すると，このようにバランスがとれない状態が生じるわけですが，いったんこのように協調作用が欠如すると下部視覚野は非常に影響を受けやすくなります。私たちは通常，自分の置かれた精神的もしくは外的状況に対して反射的にピントを合わせているからです。たとえば職場では一日中フォーカスしすぎの状態で過ごし，帰宅するなりフォーカス不足に切り替わり，夜はテレビの前でぐったりと座って過ごしたりします。フォーカスしすぎの状態で会話をしていて，よく理解できない話題になるとフォーカス不足に切り替わったりします。フォーカスしすぎの大都市に住んでいればフォーカスしすぎは進行するでしょうし，ゆったりと落ち着いたスローペースな環境に住めば当然，フォーカス不足になっていくでしょ

う。外的環境と内的状態に対して私たちがどう反応するかによって，私たち
はフォーカスしすぎとフォーカス不足の状態を行ったり来たりするのです。

## フォーカスしすぎ

　現代社会の標準は，かなりのフォーカスしすぎだと私は感じています。
フォーカス度150％といったところでしょうか。私たちが日常行っている活
動や作業を考えてみてください。たとえば日常生活でコンピュータの重要性
は高まる一方です。二次元のスクリーン上で小さな文字や数字，画像を見つ
めたり，情報を収集し，綿密に調べ物をするためには，かなりのフォーカス
を必要とします。そういった作業をしていると，いとも簡単に細部にのめり
込んでしまい，全体像を見失いがちです。全体像とは，いま身体をどのよう
に使っているか，この作業にどれだけの時間を割こうと思っているか，そし
てそもそも何のためにコンピュータの前に座ったか，といったことです。
フォーカスしすぎになると全体像がぼやけます。

　コンピュータを使って背中が痛くなったことが何度ありますか？　いつの
間にこんなに時間が過ぎたのだろうと驚き，相当の時間を費やしたにもかか
わらず，当初の目的が果たせなかったことは？　これがフォーカスしすぎの
典型的体験です。レーザー光線のようにほかのものをすべて遮断するフォー
カスの仕方は，場合によっては役に立つこともありますが，概して私たちは
疲労困憊し，全体的な最適機能からもずいぶんかけ離れてしまいます。

　外的環境もしくは内的環境のいずれに対してもフォーカスしすぎになる可
能性はありますが，フォーカスできるのは一度に一つだけです。たとえば友
人が私に話をしてくれているあいだ（外的環境）に私が足のつま先の痛み
（内的環境）にフォーカスしすぎると，その友人の話を聞く能力が妨げられ
ます。もしくは，そのストーリーの細部から何かを思い出し，その自分の記
憶（内的環境）にフォーカスしすぎるかもしれません。または，彼女のス
トーリー（外的環境）のちょっとした情報にフォーカスしすぎて，彼女が真
に私に伝えようとしていたことが理解できないかもしれません。いかなる状

況にせよ，フォーカスの度合いが適度でなければ何かを逃してしまうことは明らかです。

　残念ながら，フォーカスしすぎればしすぎるほど，脳の適切な領域——上部視覚野——は視覚システムを適切に指揮することができなくなります。フォーカスしすぎると協調の状態からかけ離れてゆきます。懸命に見ようとすればするほど，成功から遠ざかるのです。さらに，もし自分の外にあるものにフォーカスしすぎていると，その瞬間は自分自身からも切り離されています。同様に自分の内側の何かにフォーカスしすぎると，外界から切り離されます。

　フォーカスしすぎると身体は固くなり，はたらきすぎ，ピンポイント的に首の懲りを生じるかもしれません。固定的・反射的な精神状態のときと同じように，フォーカスしすぎも脳辺縁系・視床・目，とくに黄斑や中心窩を含む網膜の後ろ側の機能に影響します。神経システムと脳全体が過度の刺激を受けているので，新しいものが入ってくる余地はありません。電話がつながった状態では，ほかの電話がかかってきてもつながらないのと同じ状況です。フォーカスしすぎは成長の余地を遮断するので，私たちを過去もしくは直前の体験に閉じこめてしまうのです。

## フォーカス不足

　フォーカス不足は脳のスイッチがオフになったかのような状態で，フォーカス度はわずか50パーセントといったところです。目の前のことに従事できないとき——たとえば一つの文や丸々1ページを何度読んでも理解できない，人と話していながらたったいま言われたことがまったくわからない，もしくはしばらく車を運転してから突然「どうやってここに着いたんだろう？」と唖然としたり——ほんとうはその場でもっとフォーカスが必要だったのに，充分にフォーカスしていなかった場合です。白昼夢，ボーっとしている状態，もの忘れは，フォーカス不足から生じます。

　私たちの思っていることとは裏腹に，フォーカス不足はリラックスした状

態ではありません。フォーカス不足は脳が必要とする栄養をあたえないので，枯渇してしまいます。ソファに座っていつまでもテレビを見続けているようなものです。そのときは自分としては動いている感じはしませんが，フォーカス不足は活発な動きなのです。内的・外的に起きていることを遮断するためには実際にかなりの努力を要しますが，私たちがフォーカス不足に陥っているときはそれに気づくのは可能ではありますが，なかなか気づくことがありません。

　フォーカス不足になっていると，外的環境に対しても，脳に入ってくる刺激に対しても，うまく気づくことができず，感情的・身体的な感覚にもほとんど意識は向いていません。こうしてフォーカス不足は私たちを切り離し，白昼夢が始まります。私がフォーカス不足のときは，窮屈すぎる靴を履いていてつま先が締めつけられていても，ほんとうに痛みに襲われるまでは，つま先の状態に気づきません。いっしょにいる友人は，私がフォーカス不足になっていて話を聞いていないという印象をもつでしょう。そして私も，あとになって何の話を聞いていたか思い出せなかったりします。もし私が切り離されることなく「存在」していれば，足の圧迫感に気づきながら友人の話も聞き，この二つの状況に過剰な反応をせずにすみます。フォーカス不足でいると何も取り込むことはできなくなり，何かが起きても思い出せず，無感覚になる可能性すらあります。フォーカス不足のときに何かにぶつかっても，できた青あざをあとになって見つけて不可思議に思うのです。

　フォーカス不足は身体が，だらしなく，エネルギー不足，無気力，首がこる，といった影響をあたえます。脳機能が全体的ににぶくなり，そのうえ神経それ自体が発信しにくくなるので，神経システムにも影響が出ます。ギターの弦はしっかり張っていなければ，はじいても振動は生まれませんが，それと同じことです。

## メ ガ ネ

　メガネとコンタクトレンズはいずれも，この「ゼロか百か」のパターンを

成す要因です。矯正レンズは光の焦点を中心窩の一点に合わせて明確に見るためのもので、レンズを使うと脳内に一定の固定パターンが生まれます。私は、いつまでもおしゃべりを続ける生徒には「メガネを外してください」と言うことがあります。メガネを外すと、彼はもっと耳を傾けるよう」になり、独り言ではなく人との会話ができるようになることが多いのです。フォーカスしすぎを手放す可能性を手にしたからです。メガネをかけていると、一つのものから別のものへと次々にフォーカスしすぎになる可能性があります（独り言もそのあらわれです）。そして、やがて精神的に疲れ——フォーカス不足になり、切り離されてボーっとした感覚になります。ですから、矯正レンズはフォーカスしすぎとフォーカス不足のパターンを永続させるはたらきがあります。

## 人生での意味は？

　突きつめていくと、フォーカスしすぎとフォーカス不足の習慣は数えきれないほどの形であらわれます。たとえば私の知人はレストランのオーナーとして成功し、休日にはビーチに行って友人たちとサーフィンを楽しんでいます。彼は大好きな仕事中は意図的にフォーカスしすぎになり、一日が終わると疲労しきって寝ています。興味深いことに、休日になっても過剰な努力をしてビーチへ出かけ、気楽に楽しむどころか疲れきっています。ですから、休みでもくたくたに疲れきった感覚になります。彼は100％出し切るか、まったく何もしないか、どちらかなのです。携帯を触るか、電話で話しているか、それ以外のときは人と会う予定の合間に居眠りをする傾向すらあります。こうして彼は、気晴らしでも仕事でもフォーカスしすぎになり、ほんとうに必要な精神的エネルギーをはるかに超えて酷使するか、まったくのフォーカス不足で過ごすというサイクルを永続させています。

　私たちにはそれぞれに日常生活のなかでフォーカスしすぎ、もしくはフォーカス不足の、どちらかに傾きやすい傾向があるかもしれませんし、単にその両者をいつまでも行ったり来たりしているのかもしれません。当然、

一瞬ごとにフォーカスの度合いを変えてもいるでしょう——フォーカスしすぎでテレビを見ていても，次の瞬間にパートナーがかけてきた言葉にはフォーカス不足になっているかもしれません。新聞を読むことにフォーカスしすぎるあまり，電話が鳴っても聞こえないこともあります。

　フォーカスはつねに進行中の事象で，私たちの体験に影響をあたえます。フォーカスしすぎで読書していると，身のまわりで起きる物音，たとえばドアをノックする音さえ聞こえないかもしれません。フォーカス不足で読書すると読んだ内容は頭に入らず，そしてなお周囲の物音も聞こえないかもしれません。ドアをノックする音も聞きのがす可能性があります。ですから，私たちの反応は下部視覚野のなかでそのときに進行しているフォーカスの状態によって変わり，また私たちのなかや周囲で起きているものごとは私たちのフォーカス状態に影響しています。フォーカスはあるがままの状態（being）というよりも，わざとする行為（doing）に関連しており，きわめて条件反射的なものなのです。そして私たちが考えなくても，つねに起こり続けています。

　フォーカスは振り子のようなもので，一つの極端から他の極端へと揺れ続けます。これはエネルギーを消耗するので脳がはたらきすぎになります。私たちは懸命にフォーカスしすぎになりますが，ある時点になると同等のエネルギーをフォーカス不足になって消耗させます。こうして振り子は両極を同等に行ったり来たりできるのです。いずれの極端も，楽に，はっきりと，ものを見るという生来の能力に，影響をあたえます。下部視覚野がフォーカスしすぎであろうとフォーカス不足であろうと，私たちのビジョンのはたらきが変わることはありません。

## プレゼンス（あるがまま）

　これで，視覚システムを協調に導くプロセスにおいて重要なステップは，フォーカスのしすぎ・不足を止められるようになることだ，ということが明確になりました。脳を酷使したり充分に使えていないというのは，私たちが

気づいていようといまいと，それは一つの行動，一種の doing なのです。フォーカスのしすぎ・不足は思考もしくは環境につねに反応し続けている状態です。フォーカスのしすぎ・不足を止める，つまり反応をやめるということで協調が起きるわけでも明晰なビジョンが得られるわけでもありませんが，脳の生来の最適機能を習慣的に邪魔するのを止めるために必要なのです。これが第一歩です。

　したがって，私の意図は過多でも不足でもない，適度なフォーカスを用いることかもしれません。私はこれを「プレゼンス（あるがまま）」と表現しています。プレゼンスは存在の仕方，状態です。意識的で受容力があり，non-doing ですが活動的で，良し悪しをいわず，レッテルもはらず，ただ観察します。プレゼンスでは折々の状況に必要なフォーカスを100％——それ以上でもそれ以下でもなく——を使いますが，そのフォーカスはわざわざ開始させなくともオンの状態になります。プレゼンスは水晶体と黄斑と強い相関関係があります。下部視覚野内で，この存在感の性質を意識的に意図することで，私たちは習慣を変えるか打破し，脳を酷使させずに調和のとれた自然な状態に近づいていくことができます。

　プレゼンスでいると，いかなることが起きても瞬時に適切に対応できます。内的経験にも外的経験にも依存しません。そのため，そのときに起きていることに影響されるのではなく，私たちがその経験との関係性に影響をあたえるのです。内的・外的環境を同時にかつ冷静に受け入れることができる状態になれるのです。この存在感はいつでも私たちのなかにあり，利用できるのですが，フォーカスしすぎやフォーカス不足で活動していると，そちらが優位になったりプレゼンスが曖昧になることもあります。

　プレゼンスを意識している下部視覚野は二つのレベルで機能します：外的環境と内的環境の両方を，難なく見る能力があるのです。内的環境とは内側の状態と，電気化学的刺激という形で脳が受け取るすべての感覚情報を指します。理想としては，下部視覚野が外的環境に参加しながらこの世界の鮮明な画像を難なく映し，同時に内的環境に参加しながらあらゆる感覚入力，つまり聴覚，触覚，味覚，嗅覚，視覚も含めすべての感覚器官から脳内に到達

する感覚を目撃（そう，脳は自らを目撃するのです！）することができる状態です。プレゼンスと上部視覚野の意識的奥行知覚が生き生きとしていれば，私たちの経験と記憶は立体的になるばかりか，多元的感覚が備わります。すべての感覚が一つになり，とぎれのない全体となるからです。

　アレクサンダーの抑制の概念と，ここで説明しているプレゼンスの意図は，強い相関関係にあることをここで言っておきたいと思います。ここまであらゆる視覚の方向性と精神的方向性のプロセスを説明してきましたが，初めの一歩は止まること，そして今の自分の状態に気づくことであることは私にとって明らかです。アレクサンダーはこの止まるというステップを「抑制」と呼びましたが，私にとってプレゼンスはこの抑制に直接かかわっています。プレゼンスを意図することで，私はそのときの自分の状態につながり，良し悪しも言わず，内的・外的環境の両方を包含しています。今，ここに意識をおくと，本来の脳の処理作業への干渉が止まります。

## 感じと脳

　「フォーカス」が視覚的現象と精神的現象の両方を指すように，「感じ」という言葉にも二重の意味があります。感じについて語るというと，身体感覚または感情の可能性があります。寒い，吐き気，痛い，快感，空腹，喉が渇いたといった感覚かもしれません。気分が悪い（身体的）ときに悲しい気持ち（感情的）になることもありますし，満ち足りている（身体的）ときに幸せ（感情的）を感じることもあります。つまり感じは身体感覚もしくは感情の可能性があります。

　感覚の情報と感情の情報は脳に動力を供給するはたらきがあり，これによって私たちの人生経験が創造され，伝えられます。感覚情報は脳内で処理されるため，私たちのビジョン（視覚）や全体的な脳の協調作用にとって重要な役割を果たします。感覚入力を建設的に使えるようになれば，脳が脳そのものを協調させ，そして私たちという存在全体を協調できるように，自分自身を助けることができます。

五感は生来，視床に備わっています。ここで入力を受け取り，インパルスとして辺縁系に送られます。第2章でお伝えしましたが，辺縁系は脳のなかで私たちの感情記憶の保管をつかさどっています。辺縁系は脳のなかで私たちのすべての感覚をつかさどっている部分だといえば，もっとわかりやすいでしょう。理想的なのは私たちのすべての感覚情報が辺縁系に伝わり，そこを通過し，もっと先の上部視覚野まで到達することです。ここで感覚情報は上部視覚野の初源的協調作用に栄養分をあたえ，さらには私たちが豊かで意義深く，意識的な生き方ができるよう貢献してくれます。上部視覚野は，全情報が一堂に集まり，全体的なビジョンを生み出すところなのです。

　すべての刺激要因，たとえば足のつま先に痛みがあったとしたら，その痛みは神経を通って脊髄に行き，そこから脳内へ伝わります。視床に入るとすべての感覚情報は辺縁系内で混ざり合うのですが，そのときに下部視覚野がそれを目撃する可能性があります。意識的にプレゼンスの状態になっている下部視覚野はこうして干渉はせず，関与します。痛みの情報は神経インパルスという形でそのまま上部視覚野に到達します。ここでより高次の脳機能を促進すると共に，奥行きのある人生経験を形成します。私はつま先の痛みを感じ，会話も聞き，料理中の夕食の匂いを嗅ぎ，温かい空気を感じ，幸せになる。すべて同時に起きるのです。

　ただ，フォーカスしすぎやフォーカス不足になっていると，感覚刺激と感情刺激の自然な流れを邪魔することになります。フォーカスしすぎ・不足は，辺縁系を通過する情報を固定し，そこから動けなくするので，脳の高次機能の糧となるものが行き届かなくなります。たとえば足のつま先の痛みといった感覚にフォーカスしすぎると，その感覚情報は辺縁系のなかで拘束され，ある意味，そこで詰まってしまいます。そのように詰まった情報はやがて集積していき，私は何かが詰まっているような感覚を覚えるようになります。フォーカス不足の場合，感覚のインパルスは本質的にどこにも行きません——ただ辺縁系のなかにとどまっているだけです。ですから結果としては同じことが起きるでしょう。辺縁系のなかに物質が入ってくればくるほど，そしてシステム内を移動することができない場合，私たちはますます古いパ

ターンに縛られることになります。

　無意識と呼ばれている状態は，私の考えでは，フォーカス不足時に起きた感覚情報および出来事を含んでいます。無意識のなかに何があるのか，私たちは頭では理解できませんが，何かがあるという感じはあります。それらが何であるか意識的な知識もなく，またそれらを何と呼べばいいのかわからないので，私はそれらを「ノー・ストーリー（no stories）」と呼んでいます。それらは確かに存在するけれど，私たちはそのストーリーの内容を伝えることはできません。これらの記憶，感覚刺激の塊を脳内で処理し，あの無意識に捕まったような感覚を緩めることは可能だと私は信じています。これら無意識の記憶に名前をつけたり執着する必要はありませんが，私たちがプレゼンスになり，関連のある神経経路を通過・上昇させる必要はあると思います。

　もちろん，私たちには私たちのストーリーもあります。良かれ悪しかれ，しっかり握って放すことのない記憶のことです。私たちはだいたいいくつかのお気に入りの記憶に執着し，同様に不快な記憶にも縛られています。これらの感覚刺激の塊もまったく同じやり方で解放させることが可能です。起きたことを実際に忘れたり無視する必要はなく，その出来事と自分との関係性は変わり得るのです。プレゼンスは私たちのストーリーと「ノー・ストーリー」の両方への執着を手放すための手段です。トラウマ体験の「克服」が起きるとき，それを引き起こすテクニックは何であれ，起きているメカニズムはこれと同じに違いありません。

　理想を言えば，つねに感覚情報を処理し続けていたいものです。私たちがプレゼンスではないとき，感覚情報は辺縁系内に蓄積もしくは集積します。辺縁系内にある情報に意識的にかかわりながら，それに一体化しすぎる必要もないという状態でいれば，その情報は流れ，上部視覚野まで到達させることができます。私たちはつねに新しい刺激——良いもの，悪いもの，無関心なもの——を辺縁系内に受け取り続けているのですから，この処理を継続させることはとくに重要です。私たちがプレゼンスを失うと，この処理は止まってしまうからです。処理が止まると，未処理の新たなストーリーや

ノー・ストーリーを生成しはじめることになります。

　私の好きな説明モデルがあります。数百万年前，辺縁系は脳の最高次の構造体でした。現代は，新皮質がそれにあたります。つまり新皮質が進化するまでは，辺縁系がもっとも精緻な神経機能を果たしていたのです。そして定義によれば辺縁系は感覚をベースとした感情記憶，とくに命の危険にかかわる記憶を含んでいました。この記憶があることで認識が可能となり，同じ状況を繰り返さないようにするためです。この闘争・逃走本能は辺縁系脳にかかわっています。新皮質が進化しなければ，それ以外の反応は存在しなかったことでしょう。現在は新皮質が最高次の，もっとも精緻な構造となっています。上部視覚野でおこなわれる処理も含め，あらゆるすべてのタイプの処理が新皮質でおこなわれます。ですが新皮質の潜在力をすべて使わなければ，私たちは辺縁系脳のなかに「閉じこめられて」しまうのです。

## 片目は収縮型，もう片方は拡大型

　第一版では上部視覚野と視覚路の傾向として，片側は収縮型でもう一方は拡大型の人もいると述べました。これは以前私が考えていたほど珍しくはないことがわかってきました。このパターンのひとびとは，ありとあらゆる視覚症状を訴えるかもしれません。彼らは脳と目を片方からもう片方へと素早く切り替えることができるので，検眼士にとっては彼らにぴったり合ったメガネを処方するのはとても難しいことでしょう。そのため，メガネの処方を頻繁に変えることがよくあり，どんなメガネにも不満を感じます。このパターンのひとびとは，そのときの視半径によって収縮や拡大のどちらか一方だけを連続的に経験しています。その結果，よく起きていることですが約2〜4メートルの距離になると混乱を感じるようです。このあたりでは両方の脳が作業を取りあいするからです。

　たとえば本を読んでいるときは収縮側がフォーカスしすぎになり，拡大側はフォーカス不足かスイッチオフの状態になる傾向があります。同じ人が遠くを飛んでいる鳥を見ようと焦点を変えると，とたんに収縮側はスイッチオ

フになって拡大側がオンになりフォーカスしすぎになります。中間あたりの
2〜4メートルの距離では，脳が混乱する可能性があります。両目がはたら
こうとして競い合うのです。当然ながら，私たちが交流する人や物体の大部
分はこの中間距離のあたり，もしくはこのあたりにまたがっていますから，
脳は休みなしに一方からもう片方へと急速に切り替わってばかりいます。こ
れが混乱と疲労を招きます。中距離では左右の脳がはたらき競い合って混乱
が生じます。二つのパターンをもった脳はどちらを使えばよいかわからなく
なるのです。この上部視覚野のパターンをもつひとびとは，よくこの混乱を
経験しているようです。両パターンをもつひとびとは，上部視覚野で両側を
協調させる方法を学ぶと，楽になります。すると近距離，中距離，遠距離を
問わず両側の視覚路と視覚野を一つのまとまりとしていっしょに使うことが
できるからです。

　ある女性が左耳の耳鳴りを治すためにレッスンに来たことがあります。彼

図10-1　片方は収縮型，もう片方は
　　拡大型：近距離を見ているとき

図10-2　片方は収縮型，もう片方は
　　拡大型：遠距離を見ているとき

女は私に，視力はとても良いのだと言いました。私が彼女にワークすると，彼女の脳は左側が拡大型，右側が収縮型であることがわかりました。彼女に音読をしてもらうと右側はフォーカスしすぎ，左側はスイッチオフになっていました。窓の外，遠くを見るように言うと，左の拡大型がオンに切り替わり，収縮側がオフになる様子が観察できました。中距離を見てもらうと彼女は混乱し，どうすればいいかわかっていませんでした。彼女は人生で同じような混乱がよく起きるのだと言っていました。私が時間をかけて彼女にワークをすると，彼女は近距離・遠距離でも中距離でも両側の脳をいっしょに一つの脳として使えるようになりました。すると彼女は混乱感覚から解放され，身体的，精神的，感情的なバランスを得たのです。

　片方ずつが異なる傾向をもつひとびとは，身体も左右で異なっていることがよくあるようです。そういう人は身体も非対称で，脊柱側弯のケースもあり得ます。一つの脳内に二種類の脳作用がある場合，一連の身体症状がともなうことがよくあり，その症状は人によって実にさまざまです。一貫して言えることは，症状はずいぶんたくさんあるということです。身体的な問題はわかりやすいのですが，それに加えて拡大側の耳に耳鳴りの症状がある可能性があり，本人はその耳鳴りにフォーカスしすぎるかもしれません。時間の経過とともに，全システムがその耳鳴りに圧倒され（そして耳鳴りにフォーカスしすぎになり），あるときそれを完全にスイッチオフにするのです。この傾向の人は人生の大半はものが明確に見えています。読書や手元の作業は収縮側を使うことができるため，老眼

図10-3　片方は収縮型，もう片方は拡大型：両側を同時に使っているとき

鏡を使いはじめるのは人よりもあとになるかもしれません。ですが，いずれは彼らも読書用のメガネが必要となるときが来ます。

　距離を問わずすべてが明晰に見えるというのは理想的状況に思えるかもしれませんが，これはつまりどの距離においても脳が統合されていないということです。混乱に加え，この状況は膨大な努力を要します。その結果，疲弊する可能性もあります。目指すところは近距離，中距離，遠距離において，楽に快適に明確に見えるよう両側を統合させることです。

## 単眼視野

　検眼士が「単眼視野」と呼ぶ状態を生み出す，メガネやコンタクトレンズの使用がどんどん普及しています。単眼視野とは，片目は遠距離に対応する矯正をし，もう片方は至近距離用に矯正したレンズのことです。こんなことをしても片方は拡大，もう片方は収縮という脳パターンは生まれませんし，左右の視覚路が別々の作業をせねばならないため，同様の混乱が生じることでしょう。左右から異なる情報が入ってきてそれを処理するというのは，脳でたいへんな努力を要します。そのような処方のレンズを使っている人は結果として混乱と疲労を味わうかもしれません。さらに，脳の片方がそのパターンに必要以上に引き込まれてしまいます。視覚システムの収縮か拡大のいずれかを悪化させるかもしれません。たとえばある近視の人が片目だけを近距離に使っていれば，その目でそのパターンが繰り返されて収縮の習慣は強化されます。単眼視野の処方を用いると，身体的には足，足首，腰または臀部に影響が出る可能性があります。当然，左右の目に異なる作業をおこなわせる屈折性レーザー手術——片目は至近距離の読書のため，もう片方は遠距離を見るために調整したもの——も同じ結果となるでしょう。白内障の手術さえ，現在は同じ概念を用いています。眼科外科医が白内障を除去した後，屈折性の代替レンズを挿入するのです。この代替レンズは，それぞれの目の焦点を異なる距離に合わせるべく，強要し続けることになります。

# 利 き 目

　長年にわたり，大勢のひとびとが「利き目」についての話題を取り上げて
きました。片方の目ばかり使っているひとびとは自らのパターンは片方が拡
大，もう片方が収縮だと思うかもしれませんが，それは別問題です。左右の
脳と視覚システムでどちらか片方ばかりを使うというのはよくあることで，
みな利き手があるのと同じことです（そして利き目は利き手の反対側である
場合が多いです）。

　上部視覚野からの全体的な協調が欠如していると，その結果バランスが崩
れ，片側だけを使うという状況を私たちはつくり出しているのかもしれませ
ん。利き目になるのはフォーカスしすぎ傾向をもつ側です。脳は，充分に活
動していない側を引き締めようとするからです。ですが利き目そのものは，
脳の協調が基本的に欠如していることの徴候にすぎません。

## ビジョン（見通し）のその他の性質

　「ビジョン」という語には実用的なものからスピリチュアルなものまで，
あらゆる意味が含まれます。アイボディというワークを発見していく道のり
も同様で，見えるものから目に見えないものまであります。

　視力とビジョンは同じものではありません。このワークの4つ目の原理，
まずビジョンが先にあり，目，身体，環境がそれに続くという原理はビジョ
ンをより大きな概念でとらえたもので，視力とは異なります。本著の初版が
出版された後，しばらく経ってからようやく私はビジョンの物理的側面と非
物理的側面のあらゆる相互関係を理解することができるようになりました。
ビジョンは私たちの身のまわりの物理的世界だけではなく，心のなかの希望
や願いまで包含します。ビジョンは目に見える有形のものと，感覚体験，感
情，雰囲気，これらすべてが統合したもので，現在および未来に同時に存在
します。

私は鮮明な視力を得たいという願いから，自ら発見の道を進みはじめました。インドでの深遠な感情的・精神的・霊的体験から，見るということは単なる視力だけではなく，ありとあらゆる要素がかかわっていることを理解することになりました。実際にあの体験のおかげで，私は視覚システムの実際の肉体的あらわれを発見することができました。そして意識的奥行き知覚のメカニズムを理解し，それを日々の暮らしに活かそうと身に着けていくうちに，必然としてビジョンに何がともなうかを深く理解することができました。

　ビジョンとはあらゆる特質もしくは信頼，幸福，豊かさ，愛，慈しみ，許し，そのほか魂のあらゆる特質を提供してくれるものです。私はこういった命の特質は，視覚システムそのものの内側と外側の両方で具現化することがわかりました。視覚システムを成す構造と体液の一つひとつが，一定の性質あるいはエネルギー的特質を体現するのです。そして構造・体液が最大の能力を発揮しながら他のシステムと協力しあってはたらくことで，それぞれの特徴が私たちの人生を支えてくれるのです。現時点で私が理解している特質を図 10-4 にあらわしています。

　また身体の外層の空間はオーラと呼ばれることもありますが，この部分は人間にとって不可欠です。この外側の複数の層，とくに頭蓋骨の後ろは，より高次の視覚システムとその機能があります。上部視覚野の後ろのこの複数の層の中心は，視覚システムと直接にかかわっています。これらの部分を視覚システムの一部に組み入れてゆけば奥行きが生まれ，人生を生き生きとさせる多くの特質が実現します。これらの層は目には見えませんが，私たちが知らずとも，また感じることがなくとも，私たちのなかや周囲に存在しています。

　これらの特質を実現させるために，これらの霊的な層と意識的につながることはできます。そうやってつながると，私たちの人生のなかや周囲でこれらの特質を備えることができます。これらの特質を実現させるために努力する必要はありません。たとえば信頼は，人生の状況により信頼を感じられない場合があったとしても，私たちのなかに存在することが可能です。これら

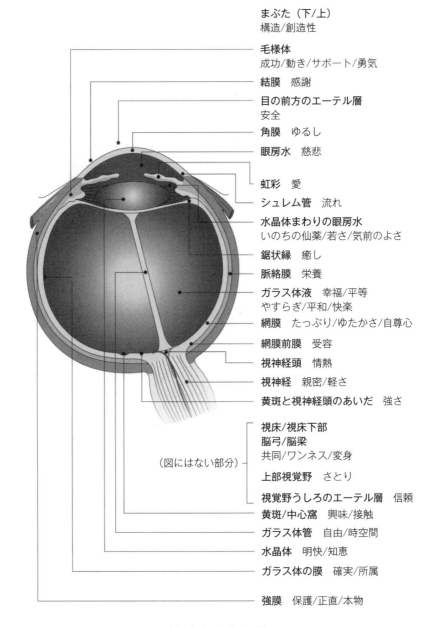

まぶた（下/上）
構造/創造性

毛様体
成功/動き/サポート/勇気

結膜　感謝

目の前方のエーテル層
安全

角膜　ゆるし

眼房水　慈悲

虹彩　愛

シュレム管　流れ

水晶体まわりの眼房水
いのちの仙薬/若さ/気前のよさ

鋸状縁　癒し

脈絡膜　栄養

ガラス体液　幸福/平等
やすらぎ/平和/快楽

網膜　たっぷり/ゆたかさ/自尊心

網膜前膜　受容

視神経頭　情熱

視神経　親密/軽さ

黄斑と視神経頭のあいだ　強さ

視床/視床下部
脳弓/脳梁
共同/ワンネス/変身

上部視覚野　さとり

視覚野うしろのエーテル層　信頼

（図にはない部分）

黄斑/中心窩　興味/接触

ガラス体管　自由/時空間

水晶体　明快/知恵

ガラス体の膜　確実/所属

強膜　保護/正直/本物

図 10-4　本質的特質

の特質は私たちの目には見えませんが，気づきのなかに置いておくと，人生は単なる物理的現実を超えたものを包含することになります。

この特質ですが，辺縁系の動きとして生じた特質と上部視覚野から生まれた特質を区別しておきたいと思います。たとえば愛ですが，辺縁系のみから生まれた愛は条件付きで，人生環境に完全に依存している可能性があります。上部視覚野からの包含的な愛は自己・環境の本来的な部分をなしており，条件ではなく基盤です。たとえば愛の特質をもつ虹彩のエネルギー波動を含むと愛は立体的な体験となり，完璧なパートナーがあらわれるかどうかに依存せずとも何かが生じ，私たちはそれにつながることができます。視覚システムに備わるこれらの特質の可能性を活用すれば，私たちは一生分の辺縁系的記憶という重荷を背負う必要もなく，人生を経験することができます。今，あるがままの人生を自然発生的に，そして過去の経験に執着することなく人生を経験できるようになるのです。

意識的奥行き知覚を適用するときに脳，視覚路，目まで大きくとらえて環境ともつながっていれば，霊的な層と上部視覚野をつなぐ中央核が統合されます。これらの特質を視覚システムに取り入れることで，私たち自身からこれらの特質が身をもってあらわれ，ほかのひとびとや環境と共有することができるのです。

私がインドにいたころ，高次視覚システムが活動的に機能し霊的特質を実現・体現していたあの頃の体験を思い返すと，なぜあれが突然始まり，突然終わってしまったのだろうと思うこともあります。私から意識的にはたらきかけることは一切しなかったのですが，そこに残ったものは完全な人生のビジョンと，そして私はいつの日にか，メガネがなくとも自然に見えるようになるのだという確信だったのです。

意識的奥行き知覚を活性化し，視覚システムのエネルギー的要素を取り込んでゆくことで，視覚的自己を物質的環境および霊的次元と統合し，「ワンネス」を三次元的に体験をしながら生きることが可能になります。このビジョンを，私はみなさんにお伝えしたいのです。

# よく質問されること

　ここでは，アイボディ・メソッドに関する質疑応答を紹介します。回答の詳細については本文を参照してください。

### アイボディ・メソッドは私を助けてくれるのでしょうか？

　自分の視力や視覚，体や感情のバランス，そして脳の機能について調べたり改善することに興味をもっている人であれば，誰であろうとこのメソッドは手助けをしてくれます。

### このメソッドは何をするためのものなのでしょう？

　私は，目の各部と脳と体のあいだに直接的なつながりがあることを発見しました。私はこのつながりのことをアイボディ・パターンと呼んでいます。視覚システムは，視力だけではなくて，もっと多重的な機能を備えています。それゆえ視覚システムは，自分自身全体を導いたり見渡したりする際の手段として信頼できるものなのです。

　このメソッドは，意識的に視覚システムの方向づけをおこなったり，脳の新しい通路を刺激したり，視覚システムと体に蓄積された緊張を同時に解放したりする手助けをします。こうすることによって，メガネやコンタクトレンズの必要性を減少させたり，なくしたりすることができ，良好な視覚を維持することができます。

### 視覚システムとは何ですか？

　視覚システムに含まれるものは，もっとも広い意味での光線を受け取り，入ってくる情報を変形し，それに意味づけをすることに関連する目と脳の領域のすべてです。上部視覚路は，爬虫類の脳（闘争／逃走反応にかかわっている脳），大脳辺縁系（感情にかかわっている脳），新皮質（意識と実務的思

考にかかわっている脳）を通っています。脳のこれらの部分を協調させることが，視覚システムに永続的な変化をもたらすための基礎になります。

**目と体，どちらの不具合が先に出るのでしょうか？**

ヒヨコが先か卵が先かという問題と同じで，これら二つは相関関係にあります。私の経験では，先に視覚に不具合があらわれます。この不具合はあまりに微妙で，気がつかないこともあります。不具合は静かに少しずつ悪化するため，視界がぼやけたり身体的不快感があらわれるのは，最初の機能不全が起きてから何年もあとになるということがしばしばあります。このパターンは，視覚システムと体の双方全体に見られます。このように，二つのシステムが鏡のようにお互いを写し合うのです。

**原理と練習の違いは何ですか？**

原理は概念ですから，これは活動や状況のいかんを問わず応用できます。練習は，何かを〈する〉こと，もしくは身体的運動をともなう活動です。このメソッドにおける視覚の原理に従えば，脳と目と体の機能が全体としてより協調しやすくなります。この原理は，新聞を読んだり，自動車を運転したり，散歩したりといったいろいろな活動に応用できますし，また，〈目の練習〉自体にも応用できます。

**このメソッドはどんな状況でも役立つのでしょうか？**

概して言えば，どんな状況でも役立つといえます。たいていの目や体の問題は，ゆっくりと視覚システム全体にはたらきかけ，協調させていくことで，変えることができます。ある特定の視覚的・身体的状態は，時間をかけることによって改善され，機能が生来のかたちで最大限に発揮されるようになります。

このメソッドは，近視，老眼，若年からの遠視，乱視を改善してくれるのでしょうか？

もちろん改善してくれます。これらは視覚機能不全としてよくあることです。視覚システム内部の緊張をゆるめる方法を学習することによって，それぞれの生理学的状況は変化します。これらの症状により影響を受けていると思われる体の部位は，

- ・近視の場合：近視は，腰と骨盤，そして大腿部からひざにかけての部分に影響をあたえます。また，首と肩に緊張をもたらし，姿勢を全般的に前屈みにしてしまいます。
- ・老眼の場合：老眼の場合も，腰と骨盤，さらに背中と胸部，そして呼吸器にも影響をあたえます。
- ・遠視の場合：遠視は，胴体上部，そのなかでもとくに心臓と肺に影響をおよぼします。これは，感情面で短気になったり，自分や他人に対してせっかちになるというかたちであらわれることがあります。
- ・乱視の場合：乱視は上肢帯と首に影響をあたえ，肩が前に屈むようになります。

このメソッドは緑内障や白内障を楽にしたり，黄班の衰えをやわらげてくれるのでしょうか？

はい。これら三つの症状すべてにおいて，まずは意識的奥行き知覚を通じて視覚システムの活動全体を向上させる必要があります。活動が向上するにつれ，目も良くなるはずです。

斜視も助けられますか？

たいていの場合，助けられます。斜視の場合，視神経が，脳幹および上部視覚野の全体的機能とうまくつながらないことと関係があります。これは修復可能であり，修復することによって両方の視覚路が協調して機能するようになります。

身体的には，斜視は下肢にあらわれます。斜視の影響を受けている側の大腿部が内向き，もしくは外向きになってしまうために，脚やひざや，骨盤とのつながりを圧迫します。

### 身体的問題や姿勢の歪みをなおし，不快感を減らすことはできますか？

ほとんどの場合，できます。目そのものと，目と脳とのつながりが，身体的問題の地図を提供してくれます。そしてこのメソッドはそれらの問題を扱います。最初は間接的に原理一般を応用し，その後，直接的に視覚システム機能を改善します。体のほかの部分も同時に反応します。

もしあなたが身体的・精神的・感情的に問題や苦痛を抱えているとしたら，そういった不具合がいずれは視覚の問題としてあらわれてくる可能性があります。これらの問題を解決しておけば，何年か先にもはっきりと見えるということを保証してくれるでしょう。

### 私はメガネをやめることができるでしょうか？

はい，たいていの場合はまちがいなくやめられます。それは，あなたの決心と，いかにあなたが一貫してこのメソッドを応用できるかにかかっています。それ次第で，あなたはメガネやコンタクトレンズをやめることができます。やめるために要する時間は長短さまざまで，視覚システムの弱さであるとか，メガネをかける習慣への執着度合いなどによって左右されます。

### メガネをやめるためには何をすればよいのでしょうか？

必要なプロセスは二つあります。一つはメガネをかける習慣を手放すことで，もう一つは，それと同時進行で視覚システムを強化することです。

人によっては，度の弱いレンズを使うことをおすすめすることがあります。そうすることでより楽にメガネをやめるほうへと移行できるからです。メソッドを応用すると，視覚システムが次第に良くなり，メガネやコンタクトレンズの必要性が先細りに少なくなっていくでしょう。

**メガネやコンタクトレンズを手放すまで，どれくらいの時間がかかりますか？**

手放すのに要する時間は，あなたがどんな視覚の問題を抱えているか，習慣を変える準備がどれくらいできているか，そして原理を応用する能力をどれくらいもっているかということにかかっています。自動車の運転や読書と同様に，一歩ずつ段階を踏んでいけば，そのためのプロセス自体が面白く楽しいものになるでしょう。

**すでに目の手術を受けてしまっていたとしても，このメソッドは役立つでしょうか？**

もちろんです。たとえば幼少時に斜視の手術を受けていたり，過去に白内障や網膜剥離の手術を受けていたとしても，視覚システムをより良く使う方法を学習することはできますし，それ以上の悪化や再発を防止してもくれるでしょう。一般的に手術というものは，目の部分的構造を永続的に変更することによって，視覚システム全体を妥協させます。視覚システムをより効率良く使用することを学習すれば，さらなる手術を受ける必要がなくなり，補償作用による身体的変化によって新たな問題が引き起こされることもないでしょう。

**屈折矯正のレーザー手術を受けたあとでも，このメソッドの恩恵を受けることができますか？**

レーザー手術は角膜に対しておこなわれる手術で，光線がじかに中心窩に落ちるようにすることによってはっきりと見えるようになります。ところが手術を受けても，視覚的機能不全の〈状態〉（眼球が伸びすぎていたり縮みすぎている状態）が変わることはありませんし，視覚における脳の使い方の習慣も残ったままです。手術のおかげでメガネが不要になり，あなたも満足しているかもしれませんが，視覚システム全体を完全に，そしてより効率的に使う方法を学習することはできるのです。

ときおり手術が完全に成功しないこともあります。手術後もメガネが必要

であったり（視力が1.0に達しなかったのかもしれません），ほかの機能不全（近距離で文字がぼやけたり，光に対して過敏になってしまうなど）が起こってしまったりした場合，自分の状態を自然かつ安全に自分の内部から扱う方法を学習する手助けを，このメソッドはしてくれるはずです。

**視覚と姿勢は同じ割合で改善されますか？**

はい。ただし姿勢のほうが早く良くなるように見えます。それというのは，姿勢を観察することには慣れていますが，視覚の微妙な部分には気づきにくいからです。

**このメソッドの学習を始めるにあたって必要なことは何ですか？**

いくつか基本的な必要条件があります。土台になるのは，変化への確たる決意と意欲です。なにか新しいことを学ぶ際に重要なことは，オープンになって受け入れる気持ちです。

建設的な疑いをもつことは役立ちますが，破壊的な疑いをもつことは学習を妨げ，あなたを既知の領域に閉じこめてしまうでしょう。

**学習を始めるのに適齢期はあるのでしょうか？　年齢は関係ありますか？**

年齢によって学習プロセスが左右されることはありません。若すぎるからとか，年をとりすぎているからだめだということもありません。

**70歳，80歳の人にもこのメソッドは有効でしょうか？**

もちろんです。私が主催する合宿に，90歳代の人が来たこともありますが，その人はとてもうまくやっていました。年齢による制約はありませんし，変化が遅くなることもありますが遅くならないこともあります。ときには年齢を重ねていることが大きな利点になるということに私は気づいています。人生経験により観察が鋭敏になり，思慮と気づきが深くなるからです。

### 学習にはどれくらいの期間を要しますか？

学習期間は，さまざまな要素によって左右されます。筋感覚だけでなく概念を学習する能力，気持ちがオープンになって受け入れ態勢ができていること，日常生活において注意の向け方を変える決意，日常生活に原理を応用する能力といった要素です。これらが要因となって学習の速度が決まります。

### 誕生前からの条件を変えることができるのでしょうか？

変えることができます。私たちは子宮を離れたあとも成長し変化し続けています。生まれたときに存在した条件は，だんだんに変えることができます。

### 感情と視覚のあいだにある関係とはどういったものなのでしょうか？

不安，恐怖，怒りなどの感情は，視覚において大きな役割を占めています。ガラス体液（眼球内の液体）は，感情バランスにおいて主な役割を担って（また腰痛とも関係しています）いるだけでなく，古い画像や経験が貯蔵されている大脳辺縁系（感情の脳）に対しても大きな役割を果たしています。眼球内のゼリー状液体であるガラス体をゆるめることによって，感情がやわらぎ，だんだんと腰と内臓がより正常に機能するようになります。

大脳辺縁系を協調させることによって，連想された経験を特定できなくても〈古い画像〉を削除する助けになります。

### 視力と姿勢が良くなる以外にも，何か良いことはありますか？

参加者はよく，ほかにも良いことがあったと話してくれます。体が軽くなったという感じや，不安感（とくに近視の場合）が減ったり，生理痛が楽になったということ，また，注意力が増し，知的に明快になったという報告をしてくれることがあります。

脳全体が活発になると，脳と目と体がその刺激を受け，健康全般が促進されることになります。

## 個人レッスンの良いところは何でしょうか？

個人レッスンは有効な手段ですから，場所が許すかぎりおこなうようにしています。個人レッスンと集団ワークショップを組み合わせて，周りのサポートを受けながらメソッドを吸収し学習し練習する方法がベストです。

自分一人で練習することについても，いつも私はすすめています。しかし，今まで生涯をかけてつくり上げた習慣に取り組むときは，過去に自分の習慣を変えたことがある経験豊富な教師の指導があると，より容易に取り組むことができるでしょう。こうして協力しながら，あなたの新たな思考法や反応の仕方が発見できるのです。そうすれば古い習慣を見分けられるようになり，古い習慣にはまりこんだままでいるのではなく，適切な習慣を自由に選ぶことができるようになるのです。

## ピンホール・メガネはどんなはたらきをしてくれるのですか？

特別に設計されたピンホール・メガネは，はっきり見たり，パノラマ視する練習のための素晴らしい道具です。同時に網膜の黄斑部分を運動させることができます。最初はピンホール・メガネをかけてテレビを見たり，映画を見に行ったり，読書することから始めます。このメガネは，近視や遠視，乱視，老眼の場合に役立ちます。

## すでにピンホール・メガネは持っているのですが，「アイボディ」ピンホール・メガネは違いますか？

いろいろなピンホール・メガネがありますが，例によって，いろいろな特質と使い方があります。すべてのピンホール・メガネが同じというわけではありません。

ピンホールの黒い部分の穴もいろいろあり，大きさ，形，間隔も違います。三角の「穴」もあれば，八角形もあります。穴が小さいと瞬時に脳がフォーカスしすぎになるようです。穴が大きすぎると脳がフォーカス不足になります。どちらの場合も，不適切な内径は首の緊張，眼精疲労，脳の疲れを増やすばかりでなく，頭蓋骨全体の構造に微妙な損傷を起こします。

「アイボディ」ピンホール・メガネのために適切な穴の大きさと間隔を見つけるために，私は 18 カ月の実験を重ねました。このメガネは脳が今ここにあるための能力を支え，黄斑がほかの視覚システムと協調しやすい状況をつくります。

### いつからこのメソッドを日常生活に応用しはじめることができますか？

今すぐからです。新聞を読んだり，コンピュータで仕事をしたり，自動車を運転したり，食器を洗う際に応用してください。自分自身を観察することが面白くなり，今までよりずっとくつろいでいながら，はっきりした気分で機能する方法を学習するようになります。

### 原理を仕事やレクリエーション活動にも応用することはできますか？

もちろん応用できます。コンピュータを操作しているときに，自分の脳と目と体の使い方が変わっていることに気づくはずです。スポーツやトレーニングの際には，視覚プロセスを使うことによって実力がさらに高まり，潜在能力が向上していることを目のあたりにすることでしょう。音楽家の場合は，この原理を読譜能力や演奏能力に少しずつ応用できるようになるでしょう。

### 合宿ワークショップに参加して学習する

第一歩はしばしば合宿ワークショップに参加することから始まります。合宿ワークショップは毎年世界各地で開催されています。そこでは集団的・個人的な注意が，原理を学習したり練習したりする際に払われますし，原理を徐々に吸収することができます。また，ほかの人と経験を共有することが，学習過程における手助けになります。

# 用語解説

　ここでは，本書で使われているアイボディ用語のいくつかについて説明します。

### アイボディ・パターン（Eyebody Patterns）

　視覚システム内にある人間の体の地図です。脳と目と体のさまざまな部分のつながりを示しています。

### 意識的奥行き知覚（Conscious depth perception）

　意識的方向づけであり，意識的に考えることであり，上部視覚野で生じるプロセスをイメージすることです。この過程において生理的視覚路とともに外界のもろもろの側面を視覚化します。これにより内界と外界の切れ目のない統合がつくられます。

### 一次的協調作用（Primary coordinating mechanism）

　アイボディ原理の一つです。これは上部視覚野にあり，意識的奥行き知覚を通じて刺激されます。これによって視覚システムの複合的機能が協調され，その結果として自分全体が協調するようになります。

### 眼精疲労（Visual fatigue）

　視覚システム全体が弱まっていることを指します。

### 視覚システム（Visual system）

　視覚システムを形成しているのは，目のすべて（内部および外部）の部分，下部・上部視覚路，下部・上部視覚野です。視覚システムは，爬虫類の脳，大脳辺縁系，新皮質のそれぞれに存在し，意識的奥行き知覚を用いることによって協調させることができます。

### 視覚野（Visual cortex）

視覚野は上部と下部に分かれます。下部視覚野がつかさどるのは，高解像力，フォーカス視，色彩認識であり，この部分は俗に線状皮質とか一次視覚野とよばれています。上部視覚皮質とつながるのは意識的，三次元的思考であり，一次的調整機構を含み，意識的奥行き知覚によって刺激されます。

### 視覚路（Visual pathways, upper and lower）

目から上部・下部視覚野へ情報を伝達するための通路です。視覚路は具体的に目と視覚野のあいだの部分を指しています。

### 視放射（Visual radiation）

上部と下部に分かれており，視覚システムのなかを進んでいる情報が視覚野に到達する直前の部分を指します。下部視放射とは，情報が外側膝状体から下部視覚野に向かって進む際に通過する繊維部分のことです。上部視放射がかかわるのは，第三脳室から脳弓，辺縁系の液体，脳梁を経由する大脳辺縁系の部分です。

### 上部視覚野（Upper visual cortex）

視覚脳の一部で，頭髪のつむじの近く，下部視覚野の上にあります。脳のこの部分が全体的な調整を司り，ここから意識的な奥行き知覚が生じます。

### 上部視覚野のタイプ（Upper visual cortex character or type, 広がりすぎ型・収縮型）

生まれつきの傾向としてあるものです。視覚機能全体がこれによって決定され，あらゆる視覚機能不全の根底にあります。私たちの知的感情的特徴の多くもここに根ざしています。

### 初源的調整機構（Primary coordinating mechanism）

「アイボディ」原理の一つです。それは上部視覚野にあり，意識的奥行き

知覚によって刺激され，視覚システムの多重的機能を調整します。すなわち自分全体の調整をします。

### パノラマ視（Panoramic vision）

視覚的方向づけの一つで，意識的思考と視覚化の過程として，網膜の周辺的光受容器を使いますから，上部視覚路に通じ，その刺激によって脳内に新しい通路がつくられます。

### フォーカス視（Focused vision）

フォーカス視は中心窩（網膜の中心の黄斑）だけを使います。矯正用のレンズを用いると，この見方だけを使うことになります。これらのレンズは周辺部の光受容器を排除しますから，上部視覚路へも入れません。錐体光受容器，詳細，明確，高解像度，色彩認識などと，つながります。

### フォーカスしすぎ（Over-focus）

フォーカスしすぎは150パーセントはたらくようなものです。それは反射的，無意識的，習慣的な頭のフォーカスが下部視覚野で起こります。それは逃走・闘争反射とつながります。結果ははたらきすぎと疲労困憊です。

### フォーカス不足（Under-focus）

フォーカスの5パーセントしか使わないようなものです。これは闘争・逃走反射と関係があります。その結果は現場とのスイッチがオフになり，よそごとを考えたり，はたらきすぎになります。

### プレゼンス（Presence）

意識的，活動的，受容的な在り方であり，ほかの内的経験とか外的環境に左右されません。それは下部視覚野に発生し，内外の環境を境目なしに平静に観察することができます。

# 参考文献

Alexander, FM, *The Use of the Self*. London: Victor Gollancz Ltd, 1985.

Alexander, FM, *Constructive Conscious Control of the Individual*. London: Victor Gollancz Ltd, 1987.

Bates, WH, *Better Eyesight without Glasses*. New York: Henry Holt & Co, 1981.

Bennis, Warren and Nanus, Bert, *Leaders: The Strategies for Taking Charge*. New York: Harper & Row, 1985. (ウォレン・ベニス, バート・ナナス『リーダーシップの王道』小島直記訳, 新潮社, 1987)

Garlick, David, *The Lost Sixth Sense, A Medical Scientist Looks at the Alexander Technique*. New South Wales: University of New South Wales, 1990.

Goodrich, Janet, *Natural Vision Improvement*. Berkeley: Celestial Arts, 1986.

Goodrich, Janet, *Help Your Child to Perfect Eyesight without Glasses*. Burra Creek, New South Wales: Sally Milner Publishing Pty Ltd, 1996.

Grunwald, Peter (issue editorial), *Eye See — Vision Issue; Direction —A Journal on the Alexander Technique, Vol 2 No 7*. Sydney: Fyncot Pty Ltd, 1999.

Hubel, David, *Eye, Brain and Vision*. New York: Scientific American Library, 1995.

Huxley, Aldous, *The Art of Seeing*. New York: Harper & Brothers, 1942. (オールダス・ハクスリー『眼科への挑戦——視力は回復する』中谷光明訳, 大陸書房, 1983)

Upledger, John E, *Craniosacral Therapy Two: Beyond the Dura*. Seattle: Eastland Press, Inc, 1987.

# 訳者あとがき

　原書のピーター・グルンワルド著『アイボディ：目と脳と体のまとめ方』
（"Eyebody: The Art of Integrating Eye, Brain and Body" by Peter Grunwald）
の初版は 2004 年に発行され，邦訳は 2008 年に出版されました。本書は 2018 年に
ニュージーランドで発行された第 3 版にもとづく増補改訂版です。

　はじめてピーターさんを見たのは 1994 年シドニーでのアレクサンダー・テク
ニーク国際コングレスでした。つぎに会ったのは 1999 年ドイツのフライブルクで
のアレクサンダー・コングレスです。翌年 2000 年には日本でワークショップをし
てもらったのだから，すでにフライブルクで話をつけていたことになります。そ
れのスポンサーをしてくれた，アレクサンダー・テクニーク・ボディチャンスの
ジェレミー・チャンスさんに感謝いたします。2001 年には京都の関西セミナーハ
ウスでピーターさんの「目の自然な使い方ワークショップ」があり，パノラマ視
とフォーカス視の練習をたのしんだ DVD が残っています。2008 年には『アイ・
ボディ』が誠信書房から出版されました。この本では視覚脳のあり方として，収
縮型と拡大型が紹介されていますが，これらは人の性格や行動傾向の二大分類と
して，これから広く使われるようになるでしょう。

　ピーター・グルンワルドはドイツで 1950 年代に生まれましたが，3 歳のときか
らメガネをかけ 27 年間すごしてきました。強度の近視と乱視のため 10 センチ先
しか見えないばかりでなく，姿勢も前屈し，おまけに吃音でした。しかし心身の
不必要な緊張に気づき，それをやめていくことを学習するアレクサンダー・テク
ニークに出会い，姿勢もよくなり吃音もなおりました。アレクサンダー・テクニー
クでは一人ひとりの人間に生来そなわっている能力が活性化されるのを手伝いま
す。その延長線上で当然考えられることは，目の問題もそのように解決できても
よいのではないでしょうか，ということです。
　そうです。すでにウィリアム・H・ベイツ（1860–1931）というニューヨークの
眼科医が，メガネをかけなくてもよく見えるための目の訓練法を開発していまし

た。それをさらに発展させたジャネット・グッドリッチ博士（1942-1999）について学んだピーターは18カ月でメガネをかけなくてもよくなりました。グッドリッチ博士はライヒ療法家でもありましたから，目だけの問題ではなく，こころと関係していることを知っていました。また彼女は目をはたらかすためにブレイン・ジムの方法をとりいれました。

　ベイツは目の不必要な緊張をほぐすために，目をいろいろに動かす練習を考えました。一方，アレクサンダー・テクニークは不必要な緊張をやめるために筋肉をあれこれ動かすのではなくて，頭の中で「やめておこう」と思うだけなのです。これが他のボディワークや練習法と異なるところですが，アレクサンダー教師養成コースのトレーニングを受けたピーターは，目を筋肉で動かすのではなくて，脳の中から意識的に指示を出すことで目の状態にはたらきかけます。別の言い方をすれば，視覚脳を「意識的」に使うことで，目の機能を変えていきます。アレクサンダーいうところの，使い方によって道具が変わるのです。

　このようにしてピーターはアレクサンダー・テクニークとベイツ・メソッドを，脳の使い方という，より高い段階で統合しました。ピーターの発見によると，目と視覚脳の各部分は，体の他の部分と対応していて，この関係を彼は"Eyebody Pattern"と呼びました。目と体は不可分ですから"Eyebody"と一語にした彼の意図にしたがって本文中では「アイボディ」と表記しましたが，書名としては一般的に理解しやすいように『アイ・ボディ』としました。視覚はすべての感覚を統合するばかりでなく，私たちの生き方を統合し見通しをつけます。ピーターが扱っている応用例は，近視，遠視，老眼，乱視，白内障，緑内障など視力の問題だけでなく，仕事，人間関係，自動車の運転，スポーツ，舞台芸術，愛とセックス，瞑想，死に方，にまでいたります。

　アレクサンダー・テクニークとベイツ・メソッドに助けられ人生をまっとうした思想的巨人にオルダス・ハクスリー（1894-1963）がいます。ピーターも言っているように，ある意味で私たちは，ハクスリーが『ものの見方』（1942年）で指し示した道を，たどっています。その本で彼はすでに，見ることと，洞察，瞑想，霊性，とのつながりを示唆しています。ハクスリーを身近に知るひとたちの話によれば，ベイツ・メソッドの実践によって彼の目そのものの状態は変わらなかったようですが，視覚全体の使い方がよくなって，メガネなしで自動車も運転し，

ひとの気づかない草花にも気づいたそうです。彼がロサンゼルス近郊に定住した大きな理由のひとつは、コーベット女史（Margaret Darst Corbett, 1930-1961）という、すぐれたベイツ教師がいたからです。彼ははじめのうちは毎日1時間以上、あとになってからは毎週火曜日にレッスンを受けたそうです。彼は毎日かなりの時間を費やしてベイツの練習やパーミングをして、ピンホール・メガネも使っていたそうです。

　私たちはだれでも本来的にすばらしい能力を備えて生まれてきましたが、成長発達の諸段階でいろいろな困難に出会い、それに対処するための緊急手段がそのまま固定して、変わりゆく現在の状況に対しては不適切な緊張となることが多いのです。目と視覚システムの不必要な緊張に気づいて、これをやめてゆくには、どうしたらよいでしょうか。

　そのためには目とか脳を筋感覚的に内側から気づくことが必要です。いわゆる五感というものは外からの情報を受け取るものですが、アレクサンダー・テクニークでは自分の内部についての感覚を敏感にします。それを使えば脳のはたらきを自在にする手がかりになります。しかしたいていのひとは自分の内感覚をあまり意識せずにすごしていますから、はじめのうちは教師の手をとおして筋感覚を意識させられることが必要です。多分その経験がないと、この本をお読みになっても、ピンと来ないことが多いのではないでしょうか。

　ひとりではじめられる最初の一歩については第8章で述べられていますが、第二段階においては教師の「手」助けが必要です。私は2000年1月にニュージーランドで1週間の合宿に参加して以来、毎年ピーターのお世話になっていますが、彼の手にタッチされることにより、筋感覚的に脳内探検の手がかりがつかめ、視覚システムと体の他の部分との関係、アイボディ・パターンを意識させられます。

　今日私たちは、ますますコンピュータのウィンドウのなかにのめり込み、広い視野と身体感覚を忘れがちですが、本書がきっかけとなり、自分のまわりの世界の実感を取りもどすだけでなく、脳内探検の新しい一歩を踏み出すことになっていただければ、訳者として最高のよろこびです。


　ピーターさんは2000年以来、毎年来日して合宿ワークショップと個人レッスンをしています。それを可能にしているのは、アイボディによってメガネなしの新

しい生き方が開かれた方々がボランティアでお手伝いをしてくださるからです。赤沢いずみ，マティアス・アードリック，安納献，石井ゆりこ，植村結子，岡本旬子，喜多理恵子，木野村朱美，柴田宣史，島田真紀子，新海みどり，鈴木重子，鈴木博子，角南真由子，竹内いすゞ，辻野恵子，中井敦子，中島隆晴，西村京子，堀内真奈，松代尚子，八塚僚子，横沢生子，皆様にお世話いただきましたが，わたしの記憶が乏しいので，もれ落ちがありましたら，お許しください。なお本つくりは誠信書房編集部の小寺美都子さんのお世話によって美しく仕上がりました。ありがとうございます。

2020 年 8 月

片桐　ユズル

# 索　引

188

# アイボディ情報

アイボディ関係の合宿やグループ・ワークショプ，個人レッスン，オンライン・プラクティスなどの日程，場所，申込，相談，資料など，についての最新情報は下記アイボディ・ジャパンのホームページをごらんください。

https://www.eyebody.jp/

本文中でも紹介しましたが，特別にアイボディ用に設計されたピンホールめがねの使用をおすすめします。フォーカスの過剰と不足の悪習をやめることを助け，脳のあるがままの状態を活性化します。アイボディのピンホールめがねははっきりと見るだけでなく，パノラマ視野と網膜の黄斑部分の練習もできるための，すばらしい道具です。

めがねは赤フレームと黒フレームの２種類あります。めがね，本，CD などはホームページにてオンラインでの注文をお受けしております。

訳者紹介

片桐ユズル（かたぎり　ゆずる）

1931年　東京都に生まれる
1955年　早稲田大学大学院文学研究科修士課程修了
　　　　京都精華大学名誉教授
2023年　逝去
著訳書　『ほんやら洞の詩人たち』（晶文社，1979），フォン・アー
　　　　バン『愛のヨガ』（翻訳，野草社，1982），オーソン・
　　　　ビーン『オルゴン療法がわたしを変えた』（共訳，アニマ
　　　　2001，1990），ウェストフェルト『アレクサンダーと私』
　　　　（共訳，壮神社，1992），『アレクサンダー・テクニークの
　　　　学び方──体の地図作り』（共訳，誠信書房，1997），『ボ
　　　　ディ・ラーニング──わかりやすいアレクサンダー・テ
　　　　クニーク入門（共訳，誠信書房，1999），『はじめてのにほ
　　　　んご』（改訂3版，大修館，1998），ハクスリー『多次元に
　　　　生きる』（翻訳，コスモス・ライブラリー，2010），『わた
　　　　したちが良い時をすごしていると』（コールサック社，
　　　　2011），『基礎英語の教え方』（松柏社，2014）

ピーター・グルンワルド

アイ・ボディ【増補改訂版】
　　──脳と体にはたらく目の使い方

2020年10月30日　第1刷発行
2024年 1 月30日　第2刷発行

訳　者　　片　桐　ユ　ズ　ル
発行者　　柴　田　敏　樹
印刷者　　日　岐　浩　和

発行者　　株式会社　誠　信　書　房
〒112-0012　東京都文京区大塚3-20-6
電話　03（3946）5666
https://www.seishinshobo.co.jp/

中央印刷　協栄製本
検印省略
© Seishin Shobo, 2020
ISBN978-4-414-41476-9　C0011

## アレクサンダー・テクニークの学び方
体の地図作り

ISBN978-4-414-40265-0

B. コナブル・W. コナブル著
片桐ユズル・小山千栄訳

人間に備わっている生来のすばらしい能力を取り戻してくれるアレクサンダー・テクニーク。体についての誤った認識を正し(体の地図作り)、気づきを高め、心身を自由にして柔軟性と調和を回復するためのマニュアル。

主要目次
● アレクサンダー・テクニークの勉強によう
　こそ
● 押し下げ
● 脊椎の法則
● あなたの体の地図とそれをどのように修
　正するか
● 楽に呼吸する
● アレクサンダーと話し方
● あなたが運動訓練をするなら
● 眠りと休息
● テクニークと一般的な不快感
● あなたが虐待や暴力に苦しんだ人なら
● アレクサンダー・テクニークと身体テク
　ニーク関係

A5判並製　定価(本体2500円+税)

## ひとりでできるアレクサンダー・テクニーク
心身の不必要な緊張をやめるために

ISBN978-4-414-41420-2

J. チャンス著　片桐ユズル訳

アレクサンダー・テクニークは、首からはじまるあらゆる緊張をとる理論である。コリや痛みで固くなっていた緊張がほぐれると、からだは本来のバランスを取り戻し、深い睡眠・呼吸・血圧の安定・身体能力の活性化などを促す。本書では、まったくの初心者のためにその理論と実際のレッスンを解説している。

目　次
1　概観
2　アレクサンダーの物語
3　動きの生理学
4　アレクサンダー・レッスン
5　教えの系譜
6　ひとりでできるアレクサンダー
　　　1. 第一次的支持パターン
　　　2. 後頭下筋を感じる
　　　3. セミスパイン
7　動きの解剖学
　　　1. 方向性を発見する
　　　2. 方向性を応用する

A5判並製　定価(本体2600円+税)

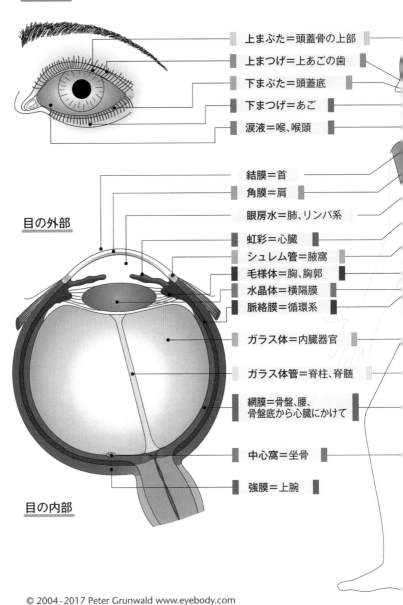

脳と体には

## 目の外側

上まぶた＝頭蓋骨の上部
上まつげ＝上あごの歯
下まぶた＝頭蓋底
下まつげ＝あご
涙液＝喉、喉頭

結膜＝首
角膜＝肩
眼房水＝肺、リンパ系

## 目の外部

虹彩＝心臓
シュレム管＝腋窩
毛様体＝胸、胸郭
水晶体＝横隔膜
脈絡膜＝循環系

ガラス体＝内臓器官

ガラス体管＝脊柱、脊髄

網膜＝骨盤、腰、
骨盤底から心臓にかけて

中心窩＝坐骨

強膜＝上腕

## 目の内部